KB155483

금화경독기

표점원문

금화경독기 (풍석총서3)

이 책은 문화체육관광부의 "풍석학술진흥연구사업"의 보조금으로
원문번역 및 간행이 이루어졌습니다.

지은이 풍석 서유구
옮긴이 진재교, 노경희, 박재영, 김준섭,
박지은, 이정욱, 전형윤, 지금완
펴낸이 신정수
펴낸곳 자연경실
진행 진병춘, 박정진
진행지원 박소해
디자인 아트퍼블리케이션 디자인 고흐
전화 (02) 6959-9921
E-mail pungseok@naver.com
펴낸날 2019년 11월 1일
ISBN 979-11-89801-20-5 (94080)

◎ 자연경실은 서유구 선생이 노년에 사용하던 서재 이름으로 풍석문화재단의 출판브랜드입니다.

풍석총서 3 표점원문

금화경독기

차례

금화경독기 金華耕讀記

권 1

《戰國策》糾繆

〈趙策〉:“蘇秦說李兌曰: ‘今君殺主父而族之.’” 云云. 按: 蘇秦之死, 在愼靚王四年; 李兌弑主父, 在愼靚王十六年, 此文誤.

《史記》糾謬

〈伍子胥傳〉:“齊鮑氏殺其君悼公, 而立陽生.” 按: 陽生卽悼公名, 此屬誤文. 〈齊世家〉悼公四年, 吳魯伐齊南方, 鮑子殺悼公, 赴于吳. 吳王夫差哭於軍門外三日, 將從海入討齊, 齊人敗之, 吳師乃歸. 齊人共立悼公子壬, 是爲簡公. 此陽字當作壬.

〈張儀傳〉:“犀首相魏[1], 張儀去. 犀首聞張儀復相秦, 害之謂義渠君曰: ‘中國無事, 秦得燒掇焚杅君之國; 有事, 秦將輕使重幣事君之國.’ 其後, 五國伐秦”云云. 按〈年表〉, 五國伐秦, 在秦惠王後元七年; 張儀之去魏相秦, 在惠王後元八年. 犀首之惎義渠君, 初非害張儀相秦而然也. 蓋史遷敍 犀首告義渠君 一段, 全用《戰國策》, 而其曰 “犀首聞張儀復相秦, 害之” 云者, 史遷臆逆傅會, 遂使先後倒敍耳.

〈張儀傳〉敍伐蜀事於張儀相秦之前. 按〈秦本紀〉及〈六國年表〉:“惠王十年, 張儀相秦.”, “惠王後元九年, 伐蜀滅之.” 相距爲十二年. 蓋史遷此段全用《國策》文, 而《國策》本不紀年繫時, 所以易失之照檢耳. 大抵伐蜀之議, 錯是而儀非. 昔蘇長公以議救閼與之失, 不載〈廉頗傳〉,

1 [校勘] 魏 : 저본에는 ‘秦’으로 되어 있는데, 《사기(史記)》 권70 〈장의열전(張儀列傳)〉 제10에 근거하여 바로잡았다.

而見之〈趙奢傳〉; 謀撓楚權之謬, 不載〈酈生傳〉, 而見之〈留侯傳〉, 謂子長之與善也, 隱而彰. 今以此率之, 則伐蜀之議, 當載之〈秦本紀〉, 不當見於〈張儀傳〉. 如"秦以益強富厚, 輕諸侯." 等語, 全是鋪張司馬錯句法, 無當於張儀. 此蓋襲用《國策》文, 而筆勢流下, 遂失之剪割也.

〈張儀傳〉: "儀謂楚懷王曰: '大王嘗與吳人戰, 五戰而三勝, 陣卒盡矣; 偏守新城, 存民苦矣.'", 〈甘茂傳〉: "范蜎謂楚懷王曰: '王前嘗用召滑於越, 越國亂, 故楚南塞厲門, 而郡江東." 按: 〈年表〉、〈世家〉, 幷無楚懷王時, 伐越取吳地之事. 惟〈越世家〉: "越王無彊, 伐楚, 楚威王興兵伐之, 大敗越, 殺王無彊, 盡取故吳地, 至浙江." 兩傳及〈世家〉所稱. 明是一事. 而〈世家〉, 則謂威王時, 兩傳則謂懷王時, 兩者一誤. 蓋〈張儀、甘茂傳〉, 沿襲《戰國策》之謬耳.

〈甘茂傳〉: "文信侯言之於始皇, 使甘羅於趙. 甘羅說趙王曰: '王聞燕太子丹入質秦歟?' 曰: '聞之.' 曰: '聞張唐相燕歟?' 曰: '聞之.' '燕太子丹入秦者, 燕不欺秦也; 張唐相燕者, 秦不欺燕也. 燕秦不相欺者, 欲攻趙而廣河間[2]. 王不如齎臣五城以廣河間, 請歸燕太子, 與彊趙攻弱燕.' 趙王立自割五城以廣河間, 秦歸燕太子. 趙攻燕, 得上谷三十城, 令秦有十一." 按: 〈燕世家〉、〈荊軻傳〉、〈六國年表〉, 燕太子丹, 怨秦王亡歸耳, 非秦之歸之也. 且文信侯呂不韋, 卒於秦王政十二年, 而丹之歸燕, 則在燕王喜二十三年, 秦王十五年. 是時文信侯卒已四年矣. 安得有用甘羅說, 歸燕太子之事? 此亦沿《國策》之誤, 而不自覺其與

---

2 [校勘] 間 : 저본에는 '聞'으로 되어 있는데, 《사기(史記)》 권71 〈저리자감무열전(樗里子甘茂列傳)〉 제11에 근거하여 바로잡았다.

〈燕世家〉、〈荊軻傳〉, 自相矛盾耳.

〈孫臏傳〉: "魏伐趙, 趙請救於齊. 齊威王以田忌爲將[3]. 忌欲引兵之趙, 孫子曰: '不若引兵疾走大梁, 擄其街路, 衝其方虛.' 後十五年, 魏與趙攻韓, 韓告急於齊. 齊使田忌將, 直走大梁, 敗龐涓於馬陵, 虜魏太子申." 按: 〈商鞅傳〉, 魏之徙都大梁, 在馬陵之戰之翌年, 商鞅伐魏虜公子昂之後. 方孫子救趙救韓時, 魏尙都安邑, 安得云 '疾走大梁', '直走大梁'? 此二句幷誤.

〈穰侯傳〉: "昭王三十二年, 穰侯將兵攻魏, 須賈說穰侯曰: '君之得地, 豈必以兵哉? 割晉國, 秦兵不攻而魏必效安邑[4].'" 《國策》則曰: "君之嘗割晉國取地也, 何必以兵哉? 夫兵不用而魏效絳、安邑." 蓋魏效安邑, 《史記》作將然之事, 《國策》作已然之事. 按: 〈秦本紀〉、〈六國表〉, 秦昭王二十一年, 魏納安邑河內, 在須賈說穰侯前十一年, 當以《國策》爲是.

〈王翦傳〉, "李信伐荊攻鄢郢破之." 按: 〈秦本紀〉、〈楚世家〉、〈白起傳〉, 秦昭王二十八年, 白起攻鄢拔之, 明年拔郢, 秦以郢爲南郡. 方李信伐楚時, 鄢郢俱已屬秦久矣, 此屬誤文.

〈白起傳〉: "秦昭王四十八年, 秦定上黨郡. 分軍爲二, 王齕攻皮牢拔之, 司馬梗定太原[5]. 韓趙恐, 使蘇代厚幣, 說秦相應侯曰" 云. 按: 蘇代與其兄秦同學, 則秦之說六國時, 亦應長成. 秦之說六國, 在周顯王

---

3 [校勘] 將 : 저본에는 '時'로 되어 있는데, 《사기(史記)》 권65 〈손자오기열전(孫子吳起列傳)〉 제5에 근거하여 바로잡았다.

4 [校勘] 效安邑 : 건륭사년교간(乾隆四年敎刊) 본 《사기(史記)》 권72 〈양후열전(穰侯列傳)〉 제12에는 "效絳安邑"으로 되어 있다.

5 [校勘] 太原: 저본에는 없는데, 《사기(史記)》 권73 〈백기왕전열전(白起王翦列傳)〉 제13에 근거하여 보충하였다.

三十五年, 距秦昭王四十八年, 爲六十八年, 秦死於齊湣王初年, 距秦昭王四十八年, 爲五十餘年. 假令蘇代久視, 不應秦死後五十餘年尙能遊說諸侯. 今考《國策》, 有此文而不著說者姓名. 意史遷引用時, 嫌於無名, 遂梗屬之蘇代, 而不考其年世耳.

〈孟嘗君傳〉: "呂禮相齊欲困蘇代, 代謂孟嘗君曰: '君急北兵趍趙, 以和秦魏.' 孟嘗君從其計, 呂禮嫉害於孟嘗君. 懼乃遺秦相穰侯書曰: '子不如勸秦王伐齊. 吾請以所得封子.' 於是, 穰侯言於秦昭王伐齊, 呂禮亡." 按: 是時, 孟嘗君雖免相歸老於薛, 猶之齊臣也, 豈敢擅北兵, 以和秦魏, 又豈敢勸秦伐齊? 今考〈秦本紀〉、〈齊世家〉及〈六國年表〉, 並無是事. 且據〈穰侯傳〉, 穰侯爲相, 欲誅呂禮, 禮奔齊, 昭王十九年, 呂禮來, 則呂禮自齊歸秦耳, 非亡也. 此蓋戰國策士揣摩傅會之言, 而史遷誤用之耳.

〈虞卿傳〉: "秦旣解邯鄲圍. 趙郝謂趙王曰: '他日三晉之交於秦, 相善也. 今秦善韓魏而攻王, 王之所以事秦, 必不如韓魏也.'" 按: 秦圍邯鄲, 在秦昭王五十年、趙孝成王九年. 今據〈秦本紀〉、〈白起傳〉, 昭王四十三年, 白起攻韓拔九城, 斬首五萬, 四十四年, 白起攻南郡, 取之, 四十五年, 白起伐韓之野王. 是歲, 五大夫賁攻韓, 取十城, 四十七年, 秦攻韓上黨, 四十九年, 將軍張唐攻魏. 蓋無歲不有事於韓魏, 而此云秦善韓魏而王獨取攻者, 誤也. 又 "虞卿勸趙王以六城賂齊, 趙王曰: '善!' 卽[6]使虞卿東見齊王, 與之謀秦. 虞卿未返, 秦使者已在趙矣." 今據〈白起傳〉, 韓割垣雍, 趙割六城, 以和於秦, 則趙實以

---

6 [校勘] 卽 : 《사기》 권76 〈평원군우경열전(平原君虞卿列傳)〉 제16에는 '則'으로 되어 있다.

六城與秦, 而未曾與齊也. 此云以六城賂齊者, 誤也. 且白起[7]之罷兵, 以蘇代之抵書應侯行間於秦也, 邯鄲之解圍, 以楚黃歇魏公子無忌之將兵赴救也. 而趙王與虞卿之言曰: "秦倦而歸", 殆若不知其罷兵解圍之故者. 其可疑者, 非徒蘇氏所疑事在虞卿棄相印走大梁之後而已. 蓋此傳全襲〈趙策〉略加點綴, 而不知其策士揣摩假設之言, 不曾有實事, 與他傳自相參商也.

朱子謂《史記》不曾得刪改脫稾. 鄭瑗《井觀瑣言》, 引〈吳起傳〉魯人惡起, 於其君面稱魯君, 爲未曾修改驗. 按《史記》, 此類甚多. "張儀對楚懷王曰: '楚嘗與秦搆難, 戰於漢中, 楚人不勝, 列侯死者七十餘人, 遂亡漢中.' 楚王大怒, 興兵襲秦, 戰於藍田." 此則對楚王直斥言楚王也. "須賈說穰侯曰: '臣聞魏之長史謂魏王曰: 昔梁惠王伐趙, 戰勝三梁, 拔邯鄲.'" 此則對後主直斥言其先生也. "趙使人謂魏王曰: '爲我殺范痤[8]. 請獻七十里之地.' 魏王曰: '諾.' 使吏捕之. 痤[9]上書信陵君曰: '痤固[10]魏之免相也. 趙以地殺痤[11], 而魏王聽之, 有如彊秦亦將襲趙之欲, 則君且奈何?'" 此則以魏臣對魏宗室直斥言魏王也. 此皆當刪改而未改者也.

〈信陵君傳〉: "安釐王即位, 封公子爲信陵君. 是時, 范雎亡魏相秦. 以怨魏齊, 故秦兵圍大梁, 破魏華陽下軍, 走芒卯, 魏王及公子患之." 按: 魏安釐王之元年, 當秦昭王之三十一年. 是時, 范雎固未入秦也. 〈魏

---

7 [校勘] 起 : 저본에는 '趙'로 되어 있는데, 문맥상 '起'의 오자로 판단하여 수정하였다.

8 [校勘] 痤 : 저본에는 '座'로 되어 있는데, 《사기(史記)》 권44 〈위세가(魏世家)〉 제14에 근거하여 바로잡았다.

9 [校勘] 痤 : 위와 같다.

10 [校勘] 固 : 《사기》 권44 〈위세가(魏世家)〉 제14에는 '故'로 되어 있다.

11 [校勘] 痤 : 위와 같다.

策〉, “秦敗魏於華, 走芒卯而圍大梁. 須[12]賈爲魏謂穰侯曰云云.” 史遷作〈穰侯傳〉, 引此系之秦昭王三十二年, 而“明年, 秦使穰侯伐魏, 斬首四萬.”, “明年, 穰侯與白起復攻魏, 破芒卯於華陽下.” 蓋安釐王初年, 三被兵於秦, 而皆穰侯爲將, 非爲范雎也. 范雎入秦, 則在秦昭王三十六年. 而其怨魏齊, 亦只言“取魏齊頭來. 不然, 吾且屠大梁耳.” 固未嘗出兵也. 此云以“怨魏齊, 故秦兵圍大梁”者, 誤.

〈范雎傳〉: “須賈爲魏昭王, 使於齊.” 按: 范雎之亡魏入秦, 在秦昭王之三十六年. 是時, 魏昭王薨已七年矣. 此云“爲昭王使”者, 誤.

〈范雎傳〉: “范雎謂秦昭王曰: ‘至今閉關十五年, 不敢窺兵於山東.’” 按〈六國年表〉、〈秦本紀〉, 昭王二十二年, 蒙武擊齊; 二十三年, 尉斯離與三晉燕, 伐齊破之; 二十四年, 秦取魏安城至大梁; 二十五年, 拔趙二城; 二十六年, 拔趙石城; 二十七年, 錯攻楚, 白起攻趙, 取代光狼城. 又使司馬錯發隴西, 因蜀攻楚黔中拔之; 二十八年, 白起攻楚, 取鄢、鄧; 二十九年, 白起攻取郢; 三十年, 蜀守若伐取巫郡及江南爲黔中郡; 三十一年, 白起伐魏, 取兩城; 三十二年, 穰侯攻魏, 至大梁破暴鳶, 斬首四萬. 魏入三縣, 請和; 三十三年, 胡傷攻魏, 卷、蔡陽、長社取之, 擊芒卯華陽破之, 斬首十五萬. 魏入南陽以和; 三十五年, 佐韓、魏、楚伐燕. 蓋自秦昭王三十六年, 溯計十五年, 無歲不有事於山東. 此云“閉關十五年, 不敢窺兵於山東”者, 沿襲《戰國策》之謬. 蓋與〈蘇秦傳〉所云“秦兵不敢窺[13]函穀關十五年”同一, 策士假設之言也.

〈范雎傳〉: “昔齊湣王南攻楚, 破軍殺將, 再辟地千里. 而齊尺寸之地,

---

12 [校勘] 須 : 저본에는 ‘湏’로 되어 있는데, 《전국책》과 《사기》에 근거하여 바로잡았다.

13 [校勘] 窺 : 저본에는 ‘出’로 되어 있는데, 《사기》 권69 〈소진열전(蘇秦列傳)〉 제9에 근거하여 바로잡았다.

無得焉者, 豈不欲得地哉, 形勢不能有也. 諸侯見齊之罷弊、君臣之不和也, 興兵而伐齊, 大破之. 士辱兵頓, 皆咎其王曰: '誰爲此計者乎', 王曰: '文子爲之'. 大臣作亂, 文子出走. 按〈齊世家〉, "齊湣王三十八年, 伐宋, 宋王出亡, 死於溫. 齊南割楚之淮北." 此所云 "伐楚辟地" 者, 當在此時. 而據〈孟嘗君傳〉, "湣王滅宋, 益驕欲去孟嘗君. 孟嘗君恐乃如魏, 西合於秦、趙與燕, 共伐破齊". 則是時, 田文固不在齊也, 此云"文子爲之"者, 誤.

〈范雎傳〉: "於是, 廢太后, 逐穰侯、高陵、華陽、涇陽君於關外. 按: 秦未嘗廢太后, 此史遷襲《戰國策》之謬也. 歷數千古, 以子廢母者, 唯有鄭莊公、秦始皇兩人. 而鄭莊公時有潁考叔, 秦始皇時有茅焦, 皆能一言感主扶植綱常. 獨王[14]時未聞有一人以廢母爲言者. 秦雖無道, 不應若是之甚, 此一也. 假使昭王廢太后而未五世, 始皇又復廢太后, 則是便成秦之家法矣. 以始皇之猜暴, 豈不曰: 吾有所受, 而茅焦之諫, 安得而入乎, 此二也. 陳沂論 "蔡澤說應侯曰歷敍商君吳起大夫種, 而中間特增一白起, 不惟激以事而且動其心尤切也." 假使范雎奸說昭王, 至使昭王爲絶母子之親之人, 則是誠萬古名敎之罪人. 蔡澤之說范雎也, 何不微及此事以危動其心? 乃獨靳靳於白起, 何異緦小功之察乎? 此三也. 〈秦本紀〉 "昭王四十二年十月, 宣太后薨, 葬芷陽酈山." 見廢之太后, 不應書, 薨亦不應從葬先王[15]之陵, 此四也. 《戰國策》曰: "秦宣太后愛醜夫, 病將死, 出令曰: '爲我葬, 必以魏子爲殉.'" 見廢之太后, 焉有出令使人殉葬之理? 此五也. 故曰: "秦未嘗廢太后",

---

14 [校勘] 문맥상 '秦昭' 두 글자가 빠진 듯하다.

15 [校勘] 王 : 저본에는 '生'으로 되어 있는데, 문맥상 '先王'의 오기로 판단하여 수정하였다.

史遷襲《戰國策》之謬也.

【余作此, 後數月, 偶閱吳師道《國策校注》云“范雎相秦在昭王四十一年.〈秦紀〉, ‘明年, 太后薨, 葬芷陽酈山, 九月, 穰侯出之陶.’ 是太后初未嘗廢, 穰侯雖免相而未就國, 太后葬後, 始出之陶. 故《大事紀》從邵氏《皇極經世書》, ‘免魏冉相國, 奪宣太后權, 以客卿范雎爲丞相, 封應侯’, 其下書‘華陽君芊[16]戎王弟、涇陽君市出就封’, 當以此爲實.《綱目》書 ‘秦君廢其母不治事, 逐魏冉、芊[17]戎、公子市、公子理[18]’, 亦失考.” 其說與余合, 因附載於此.】

〈范雎傳〉:“秦昭王遺趙王書曰: ‘王之弟在秦, 範君之仇魏齊在平原君之家. 王使人疾持其頭來. 不然, 吾擧兵而伐趙, 又不出王之弟於關.’ 趙孝成王發卒圍平原君家, 急.” 按:〈信陵君傳〉云 “公子姊爲趙惠文王弟平原君夫人”, 則平原君之於孝成王, 乃叔父行, 非弟也. 據〈年表〉, 趙孝成王元年, 卽秦昭王四十二年. 嗣君立, 踰年始紀元, 則惠文王卒孝成王立, 在秦昭王四十一年, 政當范雎相秦之初. 豈秦王之書固以遺惠文者, 而其抵趙圍平原君家, 乃在孝成王新立之初耶? 不然則此孝成字, 當作惠文.

〈蔡澤傳〉:“白起率數萬之師, 以與楚戰, 一戰擧鄢郢以燒夷陵, 再戰南幷蜀漢.” 按: 秦之幷蜀, 在惠王後九年, 白起攻楚前三十八年. 其取楚漢中, 則在惠王後十三年, 白起攻楚前三十四年. 此云 ‘南幷蜀漢’者, 已非其實, 而下文又以‘棧道千里, 通於蜀漢’, 爲范雎之功, 則不覺

---

16 [校勘] 芊 : 저본과《전국책교주(戰國策校注)》에는 ‘芊’으로 되어 있으나,《사기》권72〈양후열전(穰侯列傳)〉제12에는 ‘羋’로 되어 있다.

17 [校勘] 芊 : 위와 같다.

18 [校勘] 理 : 저본과《전국책교주(戰國策校注)》에는 ‘理’로 되어 있으나,《사기》권5〈진본기(秦本紀)〉제5에는 ‘悝’로 되어 있다.

其一傳之內上下矛盾. 此皆沿襲《國策》辨士增飾之謬也.

〈樂毅傳〉:“樂毅卒於趙. 樂間居燕三十餘年, 燕王喜用其相栗腹之計, 欲攻趙. 而問昌國君樂間. 樂間曰: ‘趙, 四戰之國也. 其民習兵, 伐之不可.’ 燕王不聽, 遂伐趙.” 按: 燕聽栗腹伐趙, 在燕王喜四年. 溯計燕年, 僅爲二十八年. 此云‘三十餘年’ 者, 誤.

〈孟嘗君傳〉:“孟嘗君怨秦, 將以齊爲韓、魏攻楚, 因與韓、魏攻秦, 而借兵食於西周. 蘇代爲西周謂曰云云, 薛公曰: ‘善.’ 因令韓、魏賀秦, 使三國無攻, 而不借兵食於西周矣.” 按: 據此, 則薛公只聲言攻秦而已, 實未嘗出兵也. 然〈秦本紀〉:“昭王十一年, 齊、韓、魏、趙、宋、中山五國共攻秦, 至鹽氏而還. 秦與韓、魏河北及封陵以和.”〈齊世家〉:“湣王二十六年, 齊與韓、魏共攻秦, 至函穀軍焉. 二十八年, 秦與韓河外以和, 兵罷.”〈魏世家〉:“哀王二十一年, 與齊、韓共敗秦軍函穀. 二十三[19]年, 秦復予我河外及封陵爲和.”〈韓世家〉:“襄王十四年, 與齊、魏共擊秦, 至函穀而軍焉. 十六年, 秦與我河外及武遂.”〈樂毅傳〉亦稱齊湣王之彊曰 “與三晉擊秦”, 則薛公之以五國兵擊秦, 實有是事. 自湣王二十六年有事於秦, 至二十八年始罷兵, 則諸侯之連兵攻秦, 通計爲三年之久, 非果聲言擊秦而已也. 蓋〈孟嘗君傳〉蘇代之說, 全用《國策》假說之文, 不自覺其與〈秦本紀〉、〈齊〉、〈韓〉、〈魏〉世家, 自相參商也. 且蘇代之說薛公, 其肯綮不過曰‘不必攻秦以肥韓、魏’, 而秦實以河外、武遂等地與韓、魏, 即此尤可驗.《國策》所紀蘇代之言, 非果實錄也.

〈樂毅傳〉:“齊湣王彊, 西摧三晉於觀津, 遂與三晉擊秦.” 按: 遂之爲

---

19 [校勘] 三 : 저본에는 ‘二’로 되어 있는데,《사기(史記)》권44 〈연세가(燕世家)〉에 근거하여 바로잡았다.

言, 連上起下之辭也. 齊湣王之敗魏、趙於觀津, 在七年; 其與韓、魏擊秦, 在二十六年, 相去爲十九年. 此遂字, 恐衍.

〈樂毅傳〉: "燕王喜用其相栗腹之計, 欲攻趙, 而問昌國君樂間. 樂間曰: '趙, 四戰之國也, 其民習兵, 伐之不可.' 燕王不聽, 遂伐趙. 趙使廉頗擊之, 大破栗腹之軍於鄗, 禽栗腹、樂乘. 樂乘者, 樂間之宗也, 於是樂間奔趙. 燕王恨不用樂間, 遺樂間書曰 '云云.' 樂間、樂乘怨燕不聽其計, 二人卒留趙. 趙封樂乘爲武襄君." 按: 據此, 則樂乘本仕於燕, 爲將. 其去燕入趙, 在燕王喜四年, 趙孝成王十五[20]年. 然〈趙奢傳〉: "秦伐韓, 軍於閼與. 王召廉頗而問曰: '可救不?' 對曰: '道遠險狹, 難救.' 又召樂乘問焉, 樂乘對如廉頗言." 此當趙惠文王二十九年, 廉頗禽栗腹前十九年. 又〈趙世家〉: "孝成王十年, 趙將樂乘、慶舍攻秦信梁軍, 破之." 在廉頗禽栗腹前五年. 據此, 則樂乘本爲趙將, 非爲廉頗所擒而始歸於趙也. 兩者一誤.

〈李牧傳〉: "趙悼襄王元年, 使李牧攻燕, 拔武遂、方城. 居二年, 龐煖破燕軍, 殺劇辛. 後七年, 秦破趙, 殺將扈輒. 趙以李牧爲大將軍, 擊秦軍於宜安, 大破秦軍, 走秦將桓齮. 居三年, 秦攻番吾, 李牧擊破秦軍. 趙王遷七年, 秦使王翦攻趙, 趙使李牧、司馬尙禦之." 按: 據此, 則自趙王遷元年, 歷數至秦攻番吾, 恰爲十三年. 然悼襄王在位堇止九年. 據〈趙世家〉及〈六國年表〉秦殺扈輒, 系之趙王遷二年. 秦攻番吾, 系之趙王遷四年. 此所云後七年, 當作趙王遷二年; 此所云趙王遷七年, 當作後三年.

---

20 [校勘] 五 : 저본에는 '六'으로 되어 있는데, 연왕 희 4년(기원전 251)은 조나라 효성왕 15년에 해당되므로 바로잡았다.

〈田單傳〉. 按此傳是太史公未脫之槁也. 田單固一時偉人也. 於齊有再造之勳業, 其可紀者不堇止卽墨一戰而已. 如〈燕世家〉所紀, 武成王七年, 伐燕拔中陽, 〈趙世家〉所記, 孝成王二年, 相趙, 〈魯仲連傳〉所紀, 攻聊城, 及《戰國策》解裘事, 貂勃事, 攻狄事, 皆可入本傳. 史遷不應一例割捨. 雖以文體言之, 如許大鋪敘, 更無掉尾結鎖之句語, 明知其堇敘至上一半, 而下一半則固未及圓篇. 故曰: "太史公未脫之槁"也. 至若論贊中君王后事. 王蠋事, 旣無當於〈田單傳〉, 又非論贊體格. 意史遷偶錄古傳紀語, 將以備筆削入〈齊世家〉或他傳, 而後人誤系於此. 此亦未脫槁之明驗也. 吳見思曲爲之解曰: "只用卽墨一事, 聚做一處寫, 節[21]節團簇可觀. 如再入一二閒事, 一長便懈矣. 故後幅一齊卷收, 而田單別事且姑置之." 誠如是則傳項籍, 只當敘鉅鹿一戰, 傳韓信只可敘井陘一戰, 餘皆屬支辭郵語耶? 又曰: "因迎襄王一句, 追敘太史嬓之女, 因追序齊大夫迎立襄王之故, 遂及王蠋之義. 然入[22]〈田單傳〉不得, 故附於此." 夫在本傳則不可附, 在論贊則可附者, 果何說也? 信乎癡人面前不可說夢也.

〈田單傳〉; "淖齒旣殺湣王於莒, 因堅守距燕軍, 數年不下." 按: 淖齒以楚將來相齊, 非有恩信素孚於齊人也. 特因齊亂肆行弒逆, 安得固結齊人, 以區區之莒, 距燕百倍之師, 至於數年之久也? 〈齊策〉紀, "王孫賈事閔王, 王出走, 失王之處. 賈入市曰: '淖齒亂齊, 殺閔王, 欲與我誅者, 袒右.' 市人從者四百人與之, 誅淖齒." 此當爲實錄, 不知史遷

---

21 [校勘] 節 : 저본에는 없는데, 오견사(吳見思)의 《사기논문(史記論文)–사기평의(史記評議)》에 근거하여 보충하였다.

22 [校勘] 入 : 저본에는 '人'으로 되어 있는데, 문맥상 '入'의 오기로 판단하여 수정하였다.

何故不取. 然卽以《史記》考之, 〈田敬仲完[23]世家〉曰: "淖齒旣去莒, 莒人共立法章, 是爲襄王." 又曰: "襄王在莒五年, 田單以卽墨攻破燕軍, 迎襄王於莒, 入臨菑." 據此, 則淖齒去莒後, 襄王始立, 立五年後, 始破燕軍入臨齒, 而〈六國年表〉, 燕破齊, 在周赧王三十一年, 齊破燕, 在周赧三十六年, 總計前後堇爲六年. 是知閔王遇弑後, 淖齒卽死, 淖齒旣死後, 襄王卽立. 故自襄王元年, 至田單破燕軍, 恰爲五年. 而此所謂淖齒距燕軍數年者, 誤也.

〈伯夷傳〉"父死不葬." 按: 白珽〈湛[24]淵靜語〉云: "《史記》此說非也. 武王伐商, 卽位已十一年, 父死久矣."

〈魯仲連傳〉"燕將攻下聊城, 聊城人或讒之燕. 燕將懼誅, 因保守聊城, 不敢歸. 齊田單攻聊城歲餘, 士卒多死而聊城不下. 魯連乃爲書, 約之矢以射城中, 遺燕將. 書曰: 云云." 按: 史遷以魯連遺燕將書, 謂在却帝秦後二十餘年. 《戰國策》則云: "燕攻齊, 取七十餘城, 唯莒、卽墨未下. 齊田單以卽墨破燕, 殺騎劫. 初, 燕將攻下聊城, 人或讒之, 燕將懼誅, 遂保守聊城, 不敢歸. 田單攻之歲餘, 士卒多死, 而聊城不下. 魯連乃爲書, 約之矢以射城中, 遺燕將. 書曰: 云云." 今考〈年表〉, 田單殺騎劫, 復齊七十餘城, 在周赧王三十六年, 秦圍邯鄲, 在周赧王五十八年. 蓋史遷此段全襲《國策》, 獨患其年條之倒置, 遂梗屬之邯鄲解圍後二十餘年, 而《國策》"燕攻齊" 以下二十餘字, 槩在割捨之中. 故據《國策》, 則魯連之遺書燕將, 卽田單復齊[25]時事, 而在邯鄲解圍前二十二年. 據《史記》, 則魯連之遺書燕將, 在邯鄲解圍

---

23 [校勘] 完 : 저본에는 없는데, 《사기》에 근거하여 보충하였다.

24 [校勘] 湛 : 저본에는 '堪'으로 되어 있는데, 《담연정어(湛淵靜語)》에 근거하여 바로잡았다.

25 [校勘] 齊 : 저본에는 '齊齊'로 되어 있는데, 연자(衍字)로 판단하여 1자 삭제하였다.

後二十餘年, 以田單復齊後四十餘年, 更有攻聊城事也. 然魯連書學栗腹敗師事, 在田單破騎劫後二十八年, 則《國策》之謂與破騎劫同時者, 誤也. 田單相齊, 在齊襄王五年, 而襄王十九年, 趙割地求單爲將. 次年遂相趙, 而其年襄王薨, 單遂不復還齊. 故〈趙[26]策〉云: "田單將齊之良, 橫行於中十四年, 終身馳於封內". 蓋自破騎劫至襄王十八年[27], 恰爲十四年也. 豈有破騎劫後四十餘年, 尙復爲齊將攻燕城之理? 則《史記》之謂 "在邯鄲解圍後二十餘年" 者, 誤也. 鮑縉雲謂: "書非魯連本文, 出於後人之補亡, 而誤擧栗腹事." 吳金華謂: "書非誤而《策》與《史》之稱田單者, 誤也." 二說未知孰是, 然以攻狄事考之, 魯連固與田單, 同時矣. 彪氏所謂 "書出於後人補亡" 者, 恐得其實. 今幷記二說, 以備讀者自擇云.【鮑彪《戰國策注》曰: "此書引栗腹之事, 誤矣. 蓋魯連本書已逸, 而好事者聞約矢之說, 惜其書不存, 擬爲之以補亡. 而其人意氣橫溢, 肆筆而成, 不暇檢校細處. 太史公亦愛其千里, 而略其牝牡驪黃. 至于今二千歲, 莫有知其非者也." ○吳師道《戰國策校注》曰: "魯仲連說燕將, 下聊城,《史》不著年. 其書引栗腹之敗, 此事在其後, 故《通鑑》、《大事記》載於秦孝文元年, 當燕王喜五年, 齊王建十五年. 自赧王三十一年, 燕率五國伐齊, 閔王死, 襄王立, 三十六年, 燕昭王卒, 明年, 惠王立. 越武成王、孝王而至王喜, 凡三十四年. 此盖二事誤亂爲一耳.《國策》大自 '燕攻齊' 止 '殺騎劫' 二十五字, 或他策脫簡, 而 '初燕將' 止 '讒

---

26 [校勘] 趙 : 저본에는 '秦'으로 되어 있는데, 《전국책(戰國策)》 권19 〈조 2(趙二)〉에 근거하여 바로잡았다.

27 [校勘] 十八年 : 저본에는 '末年'으로 되어 있는데, 《전국책교주(戰國策校注)》 권4에 근거하여 '十八年'으로 바로잡았다.

之' 十一字, 亦他本所無也. 且單由卽墨起, 七十餘城, 卽復爲齊, 不聞聊城尙爲燕守. 以齊之事勢, 豈有舍之三十餘年而不攻, 單之兵力, 三十餘年而不能下歟. 今曰: '攻之歲餘, 不下', 可見爲此時燕將守聊城事也. 《史》稱, 毅破齊, 不下者, 獨莒、卽墨, 單縱反間, 亦言二城. 而〈燕世家〉書聊、莒、卽墨, 《策》亦有 '三城不下' 之言, 果一時事, 則聊城亦爲齊守, 而非燕將爲燕守者. 此誤因聊城不下, 而引與莒、卽墨亂也. 考之〈單傳〉, 自復齊之後, 無可書之事. 齊襄王十九年, 當趙孝成王元年, 趙割地求單爲將. 次年遂相趙, 必不復返齊矣. 距聊城之役, 凡十八年, 單豈得復爲齊將哉? 此因 '歲餘不下' 之言, 聊、卽墨之混, 而誤指以爲單也. 夫仲連之言, 正謂栗腹敗, 燕國亂, 聊城孤守, 齊方併攻, 勢將必拔. 其言初不涉湣、襄、昭、惠之際. 所謂'楚攻南陽, 魏攻平陸', 閔王時, 楚取淮北, 單復齊後, 蓋已復之, 不聞楚、魏交攻之事. 二事必在後也. 燕將被讒懼誅, 連書亦無此意, 此因樂毅而訛也. 《史》又稱, 燕將得書自殺, 單遂屠聊城, 尤非事實. 齊前所殺燕將, 惟騎劫爾, 不聞其他. 此因騎劫而訛也. 連之大意, 在於罷兵息民. 而其料事之明, 勸以歸燕降齊, 亦度其計之必可者. 排難解紛, 又素所蓄積也. 迫之於窮, 而致之於死, 豈其心哉? 夫燕將死, 聊[28]城屠, 連何功美之稱, 而齊欲爵之哉? 《策》所云'解兵而去'者, 當得其實, 而《史》不可信也. 故論此事[29]者, 一考之仲連之書, 則《史》、《策》之舛誤殽混者, 皆[30]可得而明矣. 鮑不此之察, 遂謂 '好事者補亡', 謬矣. 《史》誤因《策》, 《通鑑》、《大事記》稱田單, 則又因《史記》而誤也.】

28 [校勘] 聊 : 저본에는 '卽'으로 되어 있는데, 《전국책교주(戰國策校注)》에 근거하여 바로잡았다
29 [校勘] 事 : 저본에는 없는데, 《전국책교주》에 근거하여 보충하였다.
30 [校勘] 皆 : 저본에는 없는데, 《전국책교주》에 근거하여 보충하였다.

〈淳于髡傳〉: "後百餘年, 楚有優孟." 按: 優孟, 楚莊王時人, 淳于, 齊威王時人. 先後倒錯, 此屬誤文. 後見葉大慶《攷古質疑》, 其說與余合. 且云: "楚莊, 乃春秋之時, 齊威, 乃戰國之世. 當云其前百餘年, 楚有優孟可也. 方疑此爲傳寫之誤. 然而先傳髡而後孟. 其列傳先後如此, 則又此非傳寫之誤, 而《史記》眞失矣." 其言, 比余益備.

〈子貢傳〉 敍說齊、使吳、使越事. 論者皆疑子貢以聖門高弟, 汚不至作蘇、張遊說之術. 此特齊晉好事者造作誇說, 以依托子貢, 而史遷誤取之. 近見宋吳箕《常談》, 引〈吳越世家〉與本傳不合, 以明傳文之傅會. 其說甚詳兮, 載其全文於下.

〈吳、越世家〉: "夫差十四年春, 始北會諸侯黃池. 是年夏六月丙[31]子, 越王勾踐始伐吳. 丙戌擄吳太子. 丁亥入吳. 七月[32]辛丑, 吳王方與晉定公, 盟而爭長, 已盟而歸, 士皆罷弊, 乃厚幣以與越平. 後二十年, 勾踐復伐吳. 二十一年遂圍吳. 二十三年十一月丁卯, 方敗吳而滅之." 《左傳》亦載黃池之會, '吳王有墨, 太子死乎' 與〈世家〉正同. 是冬, 吳及越平. 哀十七年, 吳有笠澤之敗. 二十二年吳始滅. 今〈子貢傳〉乃云: "吳、晉爭強, 晉人擊之, 大敗吳師. 越王聞之, 涉江襲吳, 去城七里而軍. 吳王聞之, 去晉而歸, 與越王戰于五湖. 三戰不勝, 城門不守. 越遂圍王宮, 殺夫差." 儻如其言, 則是越王滅吳于夫差之十四年, 不俟于二十三年也. 其不可信也審矣. 〈世家〉、諸書, 載伍員諫夫差事, 至備. 夫差初無意于伐越也. 今乃曰: "越王苦身養士, 有報吳心. 待我伐

---

31 [校勘] 丙 : 저본과 《상담(常談)》에는 '戊'로 되어 있는데, 《사기(史記)》 권31 〈오태백세가(吳太伯世家)〉 제1에 근거하여 바로잡았다.

32 [校勘] 七月 : 저본에는 없는데, 《상담》에 근거하여 "七月"을 보충하였다.

越而聽子謀.” 是夫差先有伐越之意, 特[33]以子貢之[34]說而後不行. 此又其不足信者. 〈子貢傳〉 乃載越用子貢謀, 帥衆助吳之事, 此又出於〈子貢傳〉 爾, 非足爲據也. 不然則子貢者, 豈聖人之徒歟[35]?

《常談》 又云: “〈伯夷傳〉, ‘以臣弑君’, 弑當作伐. 武王方欲伐紂, 安得便言弑? 《史記》[36] 〈晉世家〉, ‘重耳在狄, 惠公欲殺之. 趙衰等曰: 「夫[37]齊桓公好善, 志在霸[38]王. 今聞管仲、隰朋死, 此亦欲得賢佐. 盍往乎?」 于是遂行.’ 是時, 小白在位, 方無恙, 不得預稱曰桓公. 《史》 衍一字.”

楊愼 《丹鉛雜錄》 云: “子貢多學而識, 故孔子曰: ‘賜不受命, 而貨殖焉[39].’ 莊子便謂: ‘子貢乘大馬, 中紺表素[40]之衣.’ 太史公立 〈貨殖傳〉, 便首誣子貢. 如此, 則子貢一猗頓耳. 聖門四科, 子貢善言語. 太史公信戰國游士之說, 載‘子貢一出, 存魯、亂齊、破吳、強晉而霸越’. 其文震耀, 其辭辯利, 人皆信之, 雖朱文公亦惑之. 獨蘇子由作《古史》, 考而知其妄. ‘考《左傳》, 齊之伐魯, 本於悼公之怒季姬, 而非田常. 吳之伐齊, 本怒悼公之反覆, 而非子貢.’ 其事始白. 若如太史公之言, 則子貢一蘇秦耳.” 此又可証史遷之誤矣.

《丹鉛雜錄》 云: “《史記》〈宋世家〉 : ‘武王克商, 微子肉袒面縛, 左牽[41]羊, 右把茅.’ 亡弟恒讀《史》至此, 謂予曰: ‘微子有四手, 兄知之乎?’ 予

---

33 [校勘] 特 : 저본에는 ‘時’로 되어 있는데, 《상담》에 근거하여 바로잡았다.
34 [校勘] 之 : 저본에는 ‘要’로 되어 있는데, 《상담》에 근거하여 바로잡았다.
35 [校勘] 歟 : 저본에는 ‘哉’로 되어 있는데, 《상담》에 근거하여 바로잡았다.
36 [校勘] 史記 : 저본에는 없는데, 《상담》에 근거하여 보충하였다.
37 [校勘] 夫 : 저본에는 없는데, 《상담》에 근거하여 보충하였다.
38 [校勘] 伯 : 저본에는 ‘霸’로 되어 있는데, 《상담》에 근거하여 바로잡았다.
39 [校勘] 焉 : 저본에는 ‘矣’로 되어 있는데, 《단연여록(丹鉛餘錄)》 권2에 근거하여 바로잡았다.
40 [校勘] 表素 : 저본에는 ‘素表’로 되어 있는데, 《단연여록(丹鉛餘錄)》 권2에 근거하여 바로잡았다.
41 [校勘] 左牽 : 저본에는 ‘右牽’으로 되어 있는데, 《단연여록(丹鉛餘錄)》 권2에 근거하여 수정하였다.

曰: '《書傳》未聞.' 乃笑曰: '使無四手, 何以旣面縛, 而又有左手牽羊, 右手把茅乎?' 然究言之, 皆必無之事. 肉袒面縛, 出於《左氏》. 乃楚人以誣莊王受鄭伯之降, 借名於武王, 而誣微子也. 《史》云 '微子抱祭器而入周', 旣入周矣, 又豈待周師至而後面縛乎? 又究而言之, 抱器入周, 亦必無之事. 劉敞曰: '古者, 同姓雖危不去國. 微子, 紂庶兄, 何入周[42]之有?' 《論語》云 '去之' 者, 去紂都也. 雖去, 不踰國, 斯仁矣."

〈孔子弟子傳〉: "宰我與田常作亂, 而滅其族, 孔子恥之." 今考《春秋內、外傳》、《家語》等書, 竝無宰我從田常事, 未知史遷從而得此也. 李斯上二世書曰: "田常爲簡公臣, 布惠施德, 下得百姓, 上得群臣, 陰取齊, 殺宰予於庭." 據此, 則宰我不從田常之謀, 爲常所殺也. 東坡所謂 "太史公固陋承疑, 使宰我負寃千載" 者信也.

〈秦始皇本紀〉 贊論旣終之後, 忽復敘襄公以後五百七十餘年諸公諸王享國年歲、葬地. 其說葬地外, 皆是已見於〈秦本紀〉者, 究厥義例, 莫測其故. 此必〈本紀〉結撰之前, 偶記其傳世世系, 以備采錄, 而〈本紀〉旣成之後, 不及刪除者. 昔人之以《史記》爲史遷未定之書者, 此一證也. 余記此說, 三十餘年後, 偶見方苞《望溪集》〈讀史編〉云: "〈秦紀〉之後, 別載襄公後二百餘年事, 豈子長摭拾舊聞, 始將采用, 後復置之, 而錄者不知而妄附歟?" 其說與余合. 但自秦襄公歷計至二世之末[43], 洽爲五百七十餘年, 而方乃云 "二百餘年", 未知何據也. 豈字訛耶?

〈司馬穰苴傳〉: "田常殺簡公, 盡滅高子、國子之族, 至常曾孫和,[44] 因

42 [校勘] 入周 : 저본에는 '人周'로 되어 있는데, 《단연여록(丹鉛餘錄)》 권2에 근거하여 수정하였다.
43 [校勘] 二世之末 : 저본에는 '二世之未'로 되어 있는데 문맥에 따라 수정하였다.
44 [校勘] 曾孫和 : 저본에는 '曾孫知'로 되어 있는데, 《사기》 권64 〈사마양저열전(司馬穰苴列傳)〉 제

自立爲齊威王." 按: 田和自立號太公, 其孫號威王, 此所謂 "自立爲齊威王" 者, 誤文也.

〈樂書〉 云: "武帝神馬, 於渥洼水中, 作爲樂歌. 汲黯諫以爲'先帝百姓不能知其音'. 上不說, 公孫弘曰: '黯誹謗聖制, 當族.'" 余按: 神馬之出, 在元鼎四年, 而公孫弘以元狩二年卒, 距元鼎改元, 洽爲七年之久. 汲黯以元狩末,[45] 出守淮陽, 十年不召. 元鼎年間, 不曾在朝, 又安有諫諍事也? 此屬誤文.

《史記》稱謚之誤

〈魯仲連傳〉: "魏王使新垣衍, 謂趙王曰: '趙誠發使尊秦昭王爲帝.'" 【此沿〈趙策〉之誤】

《史記》疊句

〈樗里子甘茂傳〉: "甘茂有孫曰甘羅. 甘羅者, 茂孫也."

〈王翦傳〉 既敍李信伐荊軍敗, 始皇復用王翦, 將兵六十萬, 伐荊事詳矣, 其下卽復曰: "王翦果代[46]李信伐荊."

〈郭解傳〉 始言"解爲人短小精悍, 不飮酒", 中間復出 "解爲人短小, 不飮酒".

4에 근거하여 수정하였다.

45 [校勘] 元狩末 : 저본에는 '元狩未'로 되어 있는데, 문맥에 따라 수정하였다.

46 [校勘] 代 : 저본에는 '伐'로 되어 있는데, 《사기》 권73 〈백기왕전열전(白起王翦列傳)〉 제13에 근거하여 바로잡았다.

〈信陵君傳〉“公子獨與客留趙”, 又云“公子竟留趙”, 下文云 “公子留趙”.

〈魯仲連傳〉上旣言“游於趙”, 下文又云 “此時魯仲連適游趙”.【上所云 “游於趙” 者, 史遷以魯連齊人也, 故將敘其說新垣衍事, 特先揭 “游於趙” 三字也. 然下文旣用《國策》“此時魯仲連適游趙”之文, 則上文 “游於趙” 三字當刪.】

〈天官書〉: “單閼歲, 歲陰在卯, 星居子. 以二月與婺女、虛、危晨出, 曰降入[47]”, 其下又曰 “其失次, 有應見張, 名曰降入”.

《史記》累語

〈趙王遂世家〉: “孝文帝二年, 立[48]遂弟辟彊, 取趙之河間郡,[49] 爲河間王, 以爲文王.” 按: 文王卽辟彊之謚, 則 “以爲文王” 四字, 不成文理, 疑以或是字之誤.

《史記》贅語

〈伍子胥傳〉: “後四歲, 孔子相魯.”; 〈白起傳〉: “是歲穰侯相秦, 擧任鄙爲漢中守.”; 〈孟嘗君傳〉: “是歲梁惠王卒.”; 〈春申君[50]傳〉: “春申君

---

47 [校勘] 降入 : 저본에는 '降人'으로 되어 있는데, 《사기》 권27 〈천관서(天官書)〉 제5에 근거하여 바로잡았다.

48 [校勘] 立 : 저본에는 없는데, 《사기》 권50 〈초원왕세가(楚元王世家)〉 제20에 근거하여 보충하였다.

49 [校勘] 郡 : 저본에는 없는데, 《사기》 권50 〈초원왕세가(楚元王世家)〉 제20에 근거하여 보충하였다.

50 [校勘] 春申君 : 저본에는 '春信君'으로 되어 있는데, 《사기》 권78 〈춘신군열전(春申君列傳)〉 제18에 근거하여 바로잡았다.

相[51]十四年, 秦莊襄王立, 以呂不韋爲相, 封爲文信侯, 取東周.";〈李牧傳〉:"居二年, 龐煖破燕軍, 殺劇辛."

《史記》晦語

〈穰侯傳〉:"魏冉相秦, 欲誅呂禮, 出奔齊". 不知呂禮坐何事欲誅.

《史記》句讀

句讀【去聲】亦大關文氣. 費袞《梁谿漫志》云:"《史記》〈衛靑傳〉'人奴之, 生得無笞罵足矣', '人奴之' 爲一句, '生得無笞罵足矣' 爲一句. 生讀如 '生乃與噲等爲伍' 之生, 謂 '人方奴我, 平生得無笞罵足矣.' 則語有意味, 而句法雄健. 今人或以 '人奴之生' 爲一句, 只移一字在上句, 便凡近矣." 我東崔簡易每讀〈項羽本紀〉"初起" 爲一句, "時年二十四" 爲一句. 家有赤脚婢, 耳熟之, 一日汲水, 過一學究舍, 聞學究誦〈項羽本紀〉, "初起時" 爲一句, "年二十四" 爲一句. 嘻曰:"殊異乎吾家主人句讀矣. 何不以時字屬之下句讀耶?" 至今傳爲口實.

承·乘通用

丘光庭《兼明書》論《史記》'我承其弊' 曰:"承字, 奉上之義, 於理不安. 當作乘陵之乘." 按: 史遷本將承字, 與乘字通用,〈孟嘗君傳〉"文

---

51 [校勘] 相 : 저본에는 없는데, 《사기》 권78 〈춘신군열전(春申君列傳)〉 제18에 근거하여 보충하였다.

承閒問其父嬰", 是也.

刺齒肥

《史記》〈蔡澤傳〉: "吾持粱[52]刺齒肥", 《索隱》: "刺齒肥, 當作齧肥, 謂食肥肉也." 按: 〈曲禮〉, 毋刺齒, 註爲其弄口也. 《史》所云刺齒肥者, 蓋謂弄口啖肥肉耳, 非字訛也.

《國策》《史記》優劣

《國策》: "陳軫見犀首曰: '公惡事乎? 何爲飮食而無事?' 犀首曰: '衍不肖, 不能得事焉, 何敢惡事?' 陳軫曰: '請移天下之事於公.'" 《史記》則曰: "陳軫曰: '公何好飮也?' 犀首曰: '無事也.' 曰: '吾請令公饜事, 可乎?'" 以 '饜事' 二字, 易 '移天下之事於公' 七字, 頓覺簡潔.

《國策》: "甘羅見張[53]卿曰: '卿之功, 孰與武安君?' 卿曰: '武安君, 戰勝攻取, 不知其數, 攻城墮邑, 不知其數. 臣之功不如武安君也.' 甘羅曰: '卿明知功之不如武安君與.' 曰: '知之.' '應侯之用秦也, 孰與文信侯專?' 曰: '應侯不如文信侯專.' 曰: '卿明知爲不如文信侯專與.' 曰: '知之.'" 旣問而復問之, 不嫌重複者, 欲令其質言而後辭也. 然卿之論應侯, 槪言不如文信侯而無他辭, 羅之再問, 固也, 而至其論武安君, 則戰勝攻取、攻城墮邑數句, 已極鋪張, 無餘辭矣, 又安用再問? 則幾

52 [校勘] 粱 : 저본에는 '梁'으로 되어 있는데, 《사기회주고증(史記會注考證)》에 근거하여 바로잡았다.
53 [校勘] 張 : 저본에는 '長'으로 되어 있는데, 《전국책》〈진책(秦策) 5〉에 근거하여 바로잡았다.

乎贅矣.《史》於應侯事有再問, 而於武安君則無之, 觀其存削之義, 甚有斟量.

《國策》: "趙且與秦伐齊, 齊懼, 令田章以陽武合於趙, 而以順子爲質. 趙王喜, 乃案兵告於秦曰: '云云.'" 又曰: "蘇代爲齊獻書穰侯曰: '云云.'" 按: 田章之以陽武合於趙, 則齊之所使也, 蘇代之遺穰侯書, 則代自爲齊而爲之也. 代本非齊人, 故云爲齊, 敍事之段落各異.《史記》删卻田章事, 而直云 "齊襄王懼, 使蘇代爲齊陰遺穰侯書." 既曰: "齊襄王使蘇代", 又曰: "爲齊", 此成何許文理? 爲齊二字, 當删而不删.

《史記》〈蔡澤傳〉, 全用《國策》文, 略有增删. 其敍蔡澤宣言相秦處,《國策》則但曰: "應侯使人召蔡澤", 而《史記》則更增來 "五帝[54]三代之事、百家之說, 吾皆知之, 衆口之辨, 吾皆摧之" 等句. 其敍應侯印可蔡澤處,《國策》則但曰: "應侯曰善", 而《史記》則更增來 "欲而不知止, 失其所以欲, 有而不知止, 失其所以有" 等句. 蓋範、蔡, 卽對頭之辨士也. 觀其反覆捭闔, 汪纚雄俊, 如兩虎負隅, 各不相下, 此其所以爲奇也. 方其未及見也, 應侯必有凌勵推倒之氣岸. 無此則苶然無鼓發之機. 方其[55]辨熄場收之時, 應侯必有契合許可之言. 無此則索然非終條理之音矣. 此兩處當以史遷爲勝. 至於中間敍商君、白公、吳起、大夫種處,《國策》本自簡明, 史遷所增衍者, 都近畵[56]蛇足續鳧脛. 至如 "輔句踐之賢, 報夫差之讐" 等句, 尤覺

54 [校勘] 五帝: 저본에는 '五常'으로 되어 있는데,《사기회주고증(史記會注考證)》에 근거하여 바로잡았다.

55 [校勘] 其 : 저본에는 '具'로 되어 있는데, 문맥에 따라 수정하였다.

56 [校勘] 畵 : 저본에는 '晝'으로 되어 있는데, 문맥에 따라 수정하였다.

淺俗, 熟讀之, 可見.

《漢書》訛謬

《漢書》〈高帝紀〉: "十年[57]夏五月, 太上皇后崩." 如淳云: "〈王陵傳〉: 楚取太上皇、呂[58]后爲質. 又項羽歸太公、呂后, 不見歸媼也. 又上五年, 母媼, 爲昭靈夫人, 高后時, 乃追尊爲昭靈后耳.[59]《漢儀注》: 高帝母, 兵起時, 死小黃北, 後於小黃作陵廟. 以此二者推之, 不得有太上皇后崩也." 晉灼曰: "五年, 追尊先媼曰昭靈夫人, 言追尊, 則明其已亡. 《史記》十年春夏無事, 七月太上皇崩, 葬櫟陽宮. 明此'夏五月太上皇后崩'八字衍也."

〈古今人表〉

正廟丁巳, 下內藏《漢書》十餘秩於內閣, 命盡去〈古今人表〉, 改粧池以入. 翌日召對, 上顧謂臣曰: "昨令剔去《漢書》中〈古今人表〉, 汝試揣予何意." 臣對曰: "躋子産晏嬰擬之稷契, 敍樂毅王翦比之方召, 進商君於子皮之上, 退包胥於伍員之下, 衛武公睿聖而與徐偃同列, 楚太子建出亡而與崔抒同科, 此已有先儒之評駁矣." 上曰: "然. 然予之所

---

57 [校勘] 年 : 저본에는 없는데, 《한서보주(漢書補注)》 권1 〈제기(帝紀) 고조(高祖) 하〉에 근거하여 보충하였다.

58 [校勘] 呂 : 저본에는 없는데, 《한서보주》 권1 〈제기(帝紀) 고조(高祖) 하〉에 근거하여 보충하였다.

59 [校勘] 又上五年……昭靈後耳 : 저본에는 '又上五年追尊爲昭靈后耳'로 되어 있는데, 《한서보주》 권1 〈제기(帝紀) 고조(高祖) 하〉에 근거하여 '母媼爲昭靈夫人高后時乃' 11자를 보충하였다.

惡, 不寧惟是. 以一人之見, 操數寸之管, 品第千古人物, 假令進退之權衡, 不失錙銖, 不免乎聖門方人之誅. 予之所惡, 蓋惡其用心之不韙. 予誠不欲寓目矣."

《宋史》訛謬

尤玘著《萬柳溪邊舊話》云: "光宗時, 文簡公【尤袤】, 擢禮部尙書兼侍讀. 陳源、姜特立召用, 人情驚駭. 公上封事, 極言二人之惡, 不聽. 時公年七十, 遂引年歸. 又八年, 薨.《宋史》言七十終於位, 誤也." 朱文藻跋云: "《宋史》稱光宗屬疾, 國事多舛, 文簡積憂成疾. 請告不報, 疾篤乞致仕, 又不報, 遂卒. 有遺奏, 有遺書別政府. 而下文又有明年轉正奉大夫致仕之語. 史文錯雜謬誤顯然. 不觀此書, 安知公係引年歸後八年而卒耶?"

《綱目》减字

司馬溫公《資治通鑑》云: "補闕喬知之有婢[60]名碧玉, 美色善歌舞. 知之爲之不昏." '昏' 與 '婚' 古字通用, 蓋言知之惑溺此婢, 不娶正室也. 《綱目》去 "不" 字而云 "知之爲之昏". 蓋誤以婚姻之昏, 爲昏惑之昏也. 字義不明, 文理不通.《綱目》似此類極多. 朱子門人趙師淵奉師命所編, 朱固無與也. 師淵史學旣非所長, 而古文又未經心, 其疎舛固宜.

---

60 [校勘] 婢 : 저본에는 '卑'로 되어 있는데, 양신(楊愼)의《단연적록(丹鉛摘錄)》권1에 근거하여 바로잡았다.

금화경독기 金華耕讀記

권 2

朞三百

余年十六, 讀〈堯典〉, 至朞三百, 握籌布算, 三日始得其概略, 終如隔靴爬痒. 後交金生泳, 金素以曆數名. 遂以新法作解, 錄之如左.

用數

歲實, 三百六十五日九百四十分日之二百三十五,【零卽四分日之一】朔策, 二十九日九百四十分日之四百九十九, 常數, 三百六十日. 十二朔策, 三百五十四日九百四十分日之三百四十八, 氣盈, 五日九百四十分日之二百三十五, 朔虛, 五日九百四十分日之五百九十二, 閏餘, 十日九百四十分日之八百二十七. 周天, 三百六十五度四分度之一, 日行, 一度,【卽日不及天】月行, 十三度十九分度之七,【卽月不及天】月距日行, 十二度十九分度之七.【卽月不及日】

解說

歲實者, 周歲之積日也, 卽日與天一會之日數也. 朔策者, 周朔之積日也, 卽月與日一會之日數也. 常數者, 六紀之摠數也, 于歲實內, 減去此數餘, 起干[1]支, 必照初冬至日之干[2]支, 以紀日者也. 十二朔策者, 月與日十二會之積日數也. 氣盈者, 歲實所過于常數之餘日分也, 故謂

---

1 [校勘] 干 : 저본에는 '于'로 되어 있는데, 문맥에 따라 수정하였다.
2 [校勘] 干 : 위와 같다.

之盈; 朔虛者, 十二朔策所不及于常數之零日分也, 故謂之虛. 閏餘者, 盈虛相並之數也, 亦卽歲實所過于十二朔策之餘日分也. 以其爲朔至相差之數而未滿一朔[3]策, 故謂之閏餘. 周天者, 太陽始冬至, 終冬至, 太陰始合朔, 終合朔之所歷, 俱爲一匝圓者之度數也. 日行者, 太陽從冬至界起, 每日距冬至, 右行之度數也; 月行者, 太陰亦從冬至界起, 每日距冬至右行之度數也. 月距日行者, 太陰從合朔、太陽所在界起, 每日距太陽右行之度數也. 故日行滿一周天, 則恰得歲實日數也; 月距日行滿一周天, 則恰得朔策日數也. 同一周度, 而日行度少, 故得日多; 月距日行度多, 故得日少也. 今以月距日行度, 較之日行度, 而恒爲日行度之十二倍, 又十九分倍之七, 則日行若滿一周天, 而月距日行, 必滿十二周天十九分周天之七也. 卽知日得一周歲, 而月必得十二周朔十九分周朔之七也. 若日得十九周歲, 則月必得十九箇十二周朔及十九箇七也. 十九箇十二周朔, 卽二百二十八周朔也; 十九箇七, 卽七箇十九也; 七箇十九, 卽七周朔也. 夫一箇十九分周朔之七, 卽一周歲之閏餘, 而十九箇十九分周朔之七, 爲十九周歲之共閏餘, 轉而爲七周朔, 則七周朔, 爲七閏朔, 與十九周歲元周朔二百二十八相加, 共爲二百三十五朔. 是爲章月, 而十九歲爲一章也. 今欲原其所自而證其數, 須詳古人必用前後兩合朔冬至同時刻者起, 測定數也. 蓋合朔與冬至同一時刻相會者, 謂之合朔冬至也. 前後兩合朔冬至, 又同時者, 謂之同時兩合朔冬至也. 夫兩合朔冬至, 兩旣同時, 則兩相距積日之數, 必整也; 兩旣合朔, 則兩相距積月之數, 又整也, 兩旣冬至, 則兩相距積歲之數, 亦整也. 故以日均歲, 則可定其歲實也; 以日均月, 則

---

3 [校勘] 朔 : 저본에는 '策'으로 되어 있는데, 문맥에 따라 수정하였다.

可定其朔策也; 以月均歲, 則可定其閏餘也. 歲、朔、閏者, 治曆之大節, 而閏餘之分, 又生於十二朔策, 減歲實之餘, 則曆家之要, 唯曰歲、朔而已, 是知曆是易而從日月者也. 何謂以日均歲? 四章之積日, 二萬七千七百五十九也, 以四章之歲數七十六而分之, 則歲得三百六十五日七十六分日之十九也. 七十六分日之十九, 亦卽四分日之一也. 故以周天亦作三百六十五度四分度之一者, 將使日恒一度, 而歲恒一周天也. 何謂以日均月? 四章之月, 爲九百四十朔也. 以九百四十朔, 而分四章之積日, 則朔得二十九日九百四十分日之四百九十九也,. 是月距日行朔恒一周天也. 何謂以月均歲? 以四章之歲數七十六, 而分四章之朔數九百四十, 則歲得十二朔七十六分朔之二十八也. 七十六分朔之二十八, 亦卽十九分朔之七也, 是月距日行歲恒十二周天十九分周天之七也. 夫旣日行歲恒一周天, 而月距日行, 歲恒十二周天十九分周天之七, 則是月距日行, 恒爲日行之十二倍十九分倍之七也. 卽日行一度, 而月距日行, 必十二度十九分度之七也, 以加日行之一度, 斯得月行之十三度十九分度之七也. 以是知古人所測前後兩合朔冬至相距積歲, 爲七十六, 積朔爲九百四十, 積日爲二萬七千七百五十九, 而以月均歲所餘之二十八朔, 爲四章之共閏, 而每章則七閏也, 每歲則十九閏之七, 而爲氣盈、朔虛之共數也.

讚曰

日會天, 爲冬至, 再會以三六五日九百四十分日之二百三十五, 則周歲之實也. 月會日, 爲合朔, 再會以二十九日九百四十分日之四百九十九, 則周朔之策也. 日根於冬至, 始於立春, 則陽三月而泰也; 窟於合朔,始於生明, 則光三日而朏也. 日極南而冬, 長北陸行以半歲, 則冬夏南北, 以司暑而繼寒也. 月極西而晦, 生東隅盈以半月, 則晦望東西, 以司夜而繼晝也. 日奉天而象君, 則郊祀之禮也; 月承日而象臣, 則朝覲之道也. 南爲陽位, 而乾居之, 夏至以後, 陰自午生, 則位言乎體, 而先天之理也. 日爲陽德, 而离配之, 冬至以後, 陽自南來, 則德言乎用, 而後天之道也. 十二而月, 三十[4]而日, 則三百六十者, 數策之元始于天一也. 天圓而五, 地方而六, 則五元六紀者, 支干[5]之會同于甲子也. 依元始而盈虛, 則是月淺深也; 覘會同而順逆, 則其日甲乙也. 盈虛幷度, 則閏餘之數也; 順逆分馳, 則朔至之距也. 盈天一而恒多五策, 減天一而恒少五策, 則天一者, 數之根也. 後甲子而恒進六千,[6] 先甲子而恒退六千, 則甲子者, 氣之始也. 冬至則歲之根也, 朔朝則朔之始也. 冬至也、朔朝也、甲子也, 參相會爲小元始, 謂之甲子日朔朝冬至, 則一千百二十周歲數而一見也. 年甲子、月甲子、時甲子, 共齊元於日甲子, 謂之四甲子朔朝冬至, 則二萬七千三百六十朞而一遇也.《太極》之圖配之前, 則斯曆之體也;《皇極》之書參之後, 則斯曆之用也.

《律呂新書》

《律呂新書》爲樂崩後初出之書, 朱子極稱其精核. 然是時新法未出, 故所言算率, 間多踈舛. 癸酉夏, 在三湖之杏亭, 同伯氏左蘇先生, 講此書八日而卒業. 隨加詮釋如左. 〈黃鐘生十一律〉按說 "六陽辰當位

4 [校勘] 三十 : 저본에는 '十三'으로 되어 있는데, 문맥에 따라 수정하였다.
5 [校勘] 干 : 저본에는 '于'로 되어 있는데, 문맥에 따라 수정하였다.
6 [校勘] 千 : 저본에는 '于'로 되어 있는데, 문맥에 따라 수정하였다.

自得”云云. 朱子曰: “自黃鐘至仲呂皆屬陽, 自䕫賓至應鐘皆屬陰, 此是一箇大陰陽. 黃鐘爲陽, 大呂爲陰[7], 每一陽間一陰, 又是一箇小陰陽.” 按十二辰, 自子至巳[8], 陽進陰退, 故皆屬陽. 自午至亥, 陰進陽退, 故皆屬陰. 所謂一箇大陰陽也. 十二律分配於十二辰, 黃鐘爲陽, 則大呂爲陰, 所謂一箇小陰陽也. 西山謂大呂、夾鐘、仲呂, 以陰呂而居陽月, 故用倍數, 以應十二月之氣, 卽以陰從陽之義, 此固然矣. 至於䕫賓、夷則、無射三律, 以陽律而居陰月, 得下生之數, 乃是以陽從陰, 則陽皆下生、陰皆上生之說, 於是乎窮矣. 陳氏《禮書》曰: “黃太姑損陽以生陰, 林南應益陰以生陽. 䕫夷無益陽以生陰, 大夾仲又損陰以生陽. 何則? 黃太姑陽之陽也, 林南應陰之陰也. 陽之陽陰之陰, 則陽息陰消之時, 故[9]陽常上生而不足, 陰常下生而有餘. 子午以左, 皆上生, 子午以右, 皆下生矣.” 張安茂《禮樂全書》曰: “冬至後, 陽進陰退. 故黃鐘起, 皆律[10]下生呂. 夏至後, 陰進陽退. 故䕫賓起, 皆律[11]上生呂.” 桑氏悅曰: “朱子曰: 十二管隔八相生. 自黃鐘之管, 陽皆下生, 陰皆上生; 自䕫賓之管, 陰反下生, 陽反上生; 以象天地之氣. 若拘古法, 而以[12]陽必下生, 陰必上生, 則以之候氣而氣不應, 以之作樂而樂不和.

---

7 大呂爲陰 : 《율려신서(律呂新書)》 주자 주에는 “大呂爲陰” 뒤에 “太簇爲陽, 夾鐘爲陰” 8자가 더 있다.

8 [校勘] 巳 : 저본에는 ‘己’로 되어 있는데, 문맥에 따라 수정하였다.

9 [校勘] 故 : 《예서(禮書)》 권117에는 ‘故’자 앞에 다음 문장이 더 있다. “陽常下生而有餘 陰常上生而不足 䕫賓至無射則 陰之陽也 大呂至仲呂 則陽之陰也 陰之陽陽之陰 則陽消陰息之時”

10 [校勘] 皆律 : 저본에는 ‘律皆’로 되어 있는데, 《반궁예악전서(頖宮禮樂全書)》 권9 〈악률략(樂律略)〉 “律呂陰陽相生圖” 에 근거하여 바로잡았다.

11 [校勘] 皆律 : 저본에는 “律皆律皆”로 되어 있는데, 《반궁예악전서(頖宮禮樂全書)》 권9 〈악률략(樂律略)〉 “律呂陰陽相生圖”에 근거하여 바로잡았다.

12 [校勘] 以 : 저본에는 없는데, 《오례통고(五禮通考)》 권72에 근거하여 보충하였다.

此鄭氏重上生[13]法, 所以爲不易之論也." 觀此說, 則《班志》律下生呂上生之說, 先儒辨之詳矣.《新書》上下相生之法, 西山特仍舊法, 而未及研究耳.

十二律之實

子, 黃鐘, 十七萬七千一百四十七. 以寸法一萬九千六百八十三除實, 則得九寸.

丑, 林鐘, 十一萬八千〇〇九十八. 以寸法一萬九千六百八十三除實, 則得六寸.

寅, 太簇, 十五萬七千四百六十四. 以寸法一萬九千六百八十三除實, 則得八寸.

卯, 南呂, 十〇萬四千九百七十六. 以分法二千一百八十七除實, 則得四十八分. 以九歸之, 得五寸餘三分. 收爲五寸三分.

辰, 姑洗, 十三萬九千九百六十八. 以分法二千一百八十七除實, 則得六十四分. 以九歸之, 得七寸餘一分. 收爲七寸一分.

巳, 應鐘, 九萬三千三百一十二. 以釐法二百四十三除實, 則得三百八十四釐. 以九歸之, 得四十二分餘六釐. 四十二分, 又以九歸之, 得四寸餘六分. 收爲四寸六分六釐.

午, 蕤賓, 十二萬四千[14]四百一十六. 以釐法二百四十三除實, 則得五百一十二釐. 以九歸之, 得五十六分餘八釐. 五十六分, 又以九歸之,

13 [校勘] 生 : 저본에는 없는데,《오례통고(五禮通考)》권72에 근거하여 보충하였다.

14 [校勘] 四千 : 저본에는 없는데,《율려신서》에 근거하여 보충하였다.

得六寸餘二分. 收爲六寸二分八釐.

未, 大呂, 十六萬五千八百八十八. 以豪法二十七除實, 則得六千一百四十四豪. 以九歸之, 得六百八十二釐餘六豪. 六百八十二釐, 又以九歸之, 得七十五分餘七釐. 七十五分, 又以九歸之, 得八寸餘三分. 收爲八寸三分七釐六豪.

申, 夷則, 十一萬〇〇五百九十二. 以豪法二十七除實, 則得四千〇〇九十六豪. 以九歸之, 得四百五十五釐餘一豪. 四百五十五釐, 又以九歸之, 得五十分餘五釐. 五十分, 又以九歸之, 得五寸餘五分. 收爲五寸五分五釐一豪.

酉, 夾鐘, 十四萬七千四百五十六. 以絲法三除實, 則得四萬九千一百五十二絲. 以九歸之, 得五千四百六十一豪餘三絲. 五千四百六十一豪, 又以九歸之, 得六百〇〇六釐餘七豪. 六百〇〇六釐, 又以九歸之, 得六十七分[15]餘三釐. 六十七分[16], 又以九歸之, 得七寸餘四分. 收爲七寸四分三釐七豪三絲.

戌, 無射, 九萬八千三百〇〇四. 以絲法三除實, 則得三萬二千七百六十八絲. 以九歸之, 得三千六百四十豪餘八絲. 三千六百四十豪, 又以九歸之, 得四百〇〇四釐餘四豪. 四百〇〇四釐, 又以九歸之, 得四十四分餘八釐. 四十四分, 又以九歸之, 得四寸餘八分. 收爲四寸八分八釐[17]四豪八絲.

亥, 仲呂, 十三萬一千〇〇七十二. 以絲法三除實, 則得四萬三千六百九十絲餘二, 算二乘三, 得六忽. 四萬三千六百九十絲, 以九歸之,

---

15 [校勘] 分 : 저본에는 '釐'로 되어 있는데, 문맥에 따라 수정하였다.

16 [校勘] 分 : 저본에는 '釐'로 되어 있는데, 문맥에 따라 수정하였다.

17 [校勘] 八釐 : 저본에는 없으나 계산상 누락된 부분이므로 보충하였다.

得四千八百五十四豪餘四絲. 四千八百五十四豪, 又以[18]九歸之, 得五百三十九釐餘三豪. 五百三十九釐, 又以九歸之, 得五十九分餘八釐. 五十九分, 又以九歸之, 得六寸餘五分. 收爲六寸五分八釐三豪四絲六忽.

變律

黃鐘, 十七萬四千七百六十二.【小分四百八十六】全八寸七分八釐一豪六絲二忽. 三分九歸之法見上. 黃鐘變律之實, 以七百二十九歸之, 復得正本數而餘數爲四百八十六, 紀之爲忽秒. 六變律小分, 皆倣此. 二百四十三爲一忽.

林鐘, 十一萬六千五百〇〇八.【小分三百二十四】全五寸八分二釐四豪一絲一忽三初. 二百四十三爲一忽. 二十七爲一初.

太簇, 十五萬五千三百四十四.【小分四百三十二】全七寸八分二豪四絲四忽七初. 八十爲一忽. 十六爲一初[19].

南呂, 十〇萬三千五百六十三.【小分四十五】全五寸二分三釐一豪六絲一初六秒. 九爲一初. 六爲一初.

姑洗, 十三萬八千〇〇八十四.【小分六十】全七寸〇〇一釐二豪二絲一初二秒. 四十爲一初. 十爲一秒[20].

應鐘, 九萬二千〇〇五十六.【小分四十】全四寸六分七豪四絲三忽一初四秒. 十爲一忽. 六爲一初. 一爲一秒.

---

18 [校勘] 以 : 저본에는 '九'로 되어 있는데, 문맥에 따라 수정하였다.
19 [校勘] 初 : 저본에는 '秒'로 되어 있으나, 문맥에 따라 수정하였다.
20 [校勘] 秒 : 저본에는 '初'로 되어 있으나, 문맥에 따라 수정하였다.

按說, "置一而六三之, 得七百二十九. 以七百二十九, 置子一, 自丑至午, 以三因之, 得七百二十九. 因仲呂之實十三萬一千〇〇七十二, 爲九千五百五十五萬一千四百八十八. 三分益一, 再生黃鐘、林鐘、太簇、南呂、姑洗、應鐘六律. 又以七百二十九歸之, 以從十二律之數, 紀其餘分以爲忽秒, 然後洪纖高下, 不相奪倫." 仲呂之實九千五百五十五萬一千四百八十八, 以三分之, 得三千一百八十五萬〇〇四百九十六. 以四因之, 得一億二千七百四十〇萬一千九百八十四, 爲黃鐘之實. 以七百二十九歸之, 得一十七萬四千七百六十二, 餘四百八十六. 黃鐘下生林鐘, 三分本律之實, 得四千二百四十六萬七千三百二十八. 以二因之, 得八千四百九十三萬四千六百五十六, 爲林鐘之實. 以七百二十九歸之, 得十一萬六千五百〇〇八, 餘三百二十四. 林鐘上生太簇, 三分本律之實, 得二千八百三十一萬一千五百五十二. 以四因之, 得一億一千三百二十四萬六千二百〇〇八, 爲太簇之實. 以七百二十九歸之, 得十五萬五千三百四十四, 餘四百三十二. 太簇下生南呂, 三分本律之實, 得三千七百七十四萬八千七百三十六. 以二因之, 得七千五百四十九萬七千四百七十二, 爲南呂之實. 以七百二十九歸之, 得十〇萬三千五百六十三, 餘四十五. 南呂上生姑洗, 三分本律之實, 得二千五百一十六萬五千八百二十四. 以四因之, 得一億〇〇六十六萬三千二百九十六, 爲姑洗之實. 以七百二十九歸之, 得十三萬八千〇〇八十四, 餘六十. 姑洗下生應鐘, 三分本律之實, 得三千三百五十五萬四千四百三十二. 以二因之, 得六千七百十〇萬八千八百六十四, 爲應鐘之實. 以七百二十九歸之, 得九萬二千〇〇五十六. 三分本律之實, 得二千二百三十六萬九千六百二十一, 餘一筭, 不行. 此變律之所以止於六也.

變聲

變宮聲, 四十二.【小分六.】變徵聲, 五十六.【小分八.】宮聲八十一, 三分【一分二十七.】損一, 下生徵. 徵聲五十四, 三分【一分十八.】益一, 上生商. 商聲七十二, 三分【一分十四.】損一, 下生羽. 羽聲四十八, 三分【一分十六.】益一, 上生角. 角聲六十四, 三分【一分二十一, 餘一筭.】損一, 下生變宮[21], 則餘一筭. 一筭又析爲九分, 三分去一, 則餘六分. 故變宮[22]聲四十二, 餘小分六. 變宮三分.【一分十四.】益一, 上生變徵. 變徵[23]聲五十六. 小分六, 三分益一, 則變徵[24]聲小分八. 變徵[25]三分, 則分各一十八, 而餘二筭, 不行.

案說, "置一而兩三之, 得九. 以九因角聲之實六十有四, 得五百七十六. 三分損益, 再生變徵、變宮二聲. 以九歸之, 以從五聲之數, 存其餘數以爲强弱. 至變徵【置子一, 歷丑寅兩時, 以三因之, 得九. 以九因角聲之實, 得五百七十六. 三分得一百九十二, 以二因之, 得三百八十四, 爲變宮. 以九歸之, 得四十二餘六. 三百八十四, 三分得一百二十八, 以四因之, 得五百一十二, 爲變徵. 以九歸之, 得五十六餘八.】之數五百一十二, 以三分之, 又不盡二筭, 其數又不行. 此變聲所以止於二也. 變宮變徵[26], 宮不成宮, 徵不成徵, 古人謂之和繆."

《淮南子》曰: "姑洗生應鐘, 比於正音, 故爲和. 應鐘生蕤賓, 不比

---

21 [校勘] 變宮 : 저본에는 '變徵'으로 되어 있는데 문맥에 따라 수정하였다.
22 [校勘] 變宮 : 저본에는 '變徵'으로 되어 있는데 문맥에 따라 수정하였다.
23 [校勘] 變徵 : 저본에는 '變宮'으로 되어 있는데 문맥에 따라 수정하였다.
24 [校勘] 變徵 : 저본에는 '變宮'으로 되어 있는데 문맥에 따라 수정하였다.
25 [校勘] 變徵 : 저본에는 '變宮'으로 되어 있는데 문맥에 따라 수정하였다.
26 [校勘] 徵 : 저본에는 없는데, 《율려신서》에 근거해 보충하였다.

正音, 故爲繆.” 李氏光地曰: “和者合也. 繆者睦也. 比者近也. 正音謂黃鐘也. 應鐘近於黃鐘, 如夫妻之合, 故爲和. 蕤賓遠於黃鐘, 而與黃鐘相對, 如朋友之交, 故爲繆.” 案十二宮, 黃鐘爲宮, 則姑洗爲角, 下生應鐘變宮, 應鐘上生蕤賓變徵. 應鐘與黃鐘, 相爲終始, 故如夫妻之合而爲和. 蕤賓與黃鐘, 隔一位而相對, 故如朋友之交而爲繆也.

八十四聲圖

十二律旋相爲宮, 各具五聲、二變, 合爲八十四聲. 圖以十二宮、六變律, 列書於上, 格其各律, 商角以下六聲, 幷挨次隔行, 上照各宮律名而得之. 如黃鍾宮居第一行, 而第二行黃鍾徵, 上對林鍾宮, 則林鍾爲黃鍾之徵, 林鍾宮居第二行, 而第三行林鍾徵, 上對太蔟宮, 則太蔟爲林鍾之徵, 餘皆倣次. 本註朱書, 今皆變爲白字, 正律半聲白字, 變律半聲墨書. 如林鍾徵、南呂徵皆正律半聲, 故律則墨書, 而聲字則白書, 如仲呂徵、無射商皆變律半聲, 故律則白書, 而聲字則墨書, 餘皆倣此. 《性理精義》曰: “此圖當斜觀之, 自黃鍾宮以至黃鍾變徵, 仲呂宮以至仲呂變徵, 每隔一行低一位, 卽是其相生之聲也. 凡言宮商角徵羽者, 有聲有調, 此圖則其聲也, 後圖則其調也. 聲者, 以律之長短高下別五聲, 隨每字每聲而名之者也. 調者以其律之起聲、收聲分五調, 統一曲七聲而名之者也. 知聲與調之分, 則知樂之所謂條理矣.”

六十調圖

十二律旋相爲宮, 各統五聲以爲綱, 而一聲又各具七均以爲紀, 合爲六十調. 其各律分統五聲之次序, 則黃鍾十一月律爲宮聲, 無射九月律爲商聲, 夷則七月律爲角聲, 仲呂四月律爲徵聲, 夾鍾二月律爲羽聲, 宮與商, 商與角, 徵與羽, 相去隔一律, 而角與徵, 羽與宮, 相去隔二律, 餘皆倣此.《性理精義》曰: "此圖每行, 雖全列七聲, 然取以名調者止一聲耳. 如首行[27]黃鍾居宮位, 故以黃鍾宮名調也, 次行黃鍾居商位, 故以無射商名調, 以後各行可推而知. 所謂起調者, 曲之起聲一字也, 所謂畢曲者, 曲之收聲一字也. 自第一調至第五調, 皆以黃鍾之律起聲收聲, 其餘中間之聲, 則雜用本行中七律[28]也. 其餘各調莫不皆然."

司馬遷〈律書〉改正

黃鍾, 八寸十分一.

黃鍾, 全九寸. 以九分寸計之爲九寸, 以十約之, 得八寸一分.

林鍾, 五寸十分四.

林鍾, 全六寸. 以九分寸計之爲六寸, 以十約之, 得五寸四分.

太蔟, 七寸十分二.

太蔟, 全八寸. 以九分寸計之爲八寸, 以十約之, 得七寸二分.

---

27 [校勘] 行 : 저본에는 없는데,《성리정의(性理精義)》에 근거하여 보충하였다.

28 [校勘] 律 : 저본에는 '聲'으로 되어 있는데,《성리정의》에 근거하여 바로잡았다.

南呂, 四寸十分八.

南呂, 全五寸三分. 以九分寸計之爲五寸三分, 以十約之, 得四寸八分.

姑洗, 六寸十分四.

姑洗, 全七寸一分. 以九分寸計之爲七寸一分, 以十約之, 得六寸四分

應鍾, 四寸二分, 三分二.

全四寸六分六釐. 以九分寸計之得四寸, 以十約之, 得三寸六分, 加六分, 得四寸二分. 餘六釐. 二千一百八十七爲分法, 二百四十三爲釐法. 二千一百八十七, 三分, 則一分爲七百二十九, 二分爲一千四百. 六釐爲九分分之二分, 恰滿一千四百五十八之數而無零分.

蕤賓, 五寸六分, 三分二.【强四百八十六.】

全六寸二分八釐. 以九分寸計之得六寸, 以十約之, 得五寸四分, 加二分得五寸六分, 餘八釐. 八釐之數爲一千九百四十四, 除三分二一千四百五十八, 則餘分爲四百八十六.

大呂, 七寸五分, 三分二.【强四百〇〇五.】

全八寸三分七釐六毫. 以九分寸計之, 得八寸, 以十約之, 得七寸二分, 加三分, 得七寸五分, 餘七釐. 七釐之數爲一千七百〇〇一, 除三分二千四百五十八, 則得二百四十三. 二十七爲毫[29]法. 加六毫之數一百六十二, 則餘分爲四百〇〇五.

夷則, 五寸〇〇, 三分二.【弱二百一十六.】

全五寸五分五釐一毫. 以九分寸計之, 得五寸, 以十約之, 得四寸五分, 加五分, 得五寸. 五釐之數爲一千二百一十五, 加一毫之數二十七, 則爲一千二百四十二, 此餘分幾滿三分二, 而不足之數爲二百一十六.

---

29 [校勘] 毫 : 저본에는 '豪'로 되어 있는데, 문맥에 따라 수정하였다.

有餘曰强, 不足曰弱, 擧成數言之, 則曰三分二截計不足零分, 則曰弱二百一十六.

夾鍾, 六寸七分, 三分一.【强一百九十八.】

全七寸四分三釐七毫三絲. 以九分寸計之, 得七寸, 以十約之, 得六寸三分, 加四分, 得六寸七分. 餘三釐, 三釐之數爲七百二十九, 滿一分. 餘七毫之數一百八十九, 則又餘三絲之數, 單九一百八十九, 加九則餘分爲一百九十八.

無射, 四寸四分, 三分二.【强六百〇〇二. 今案當作六百一十八.】

全四寸八分八釐四毫八絲. 以九分寸計之, 得四寸, 以十約之, 得三寸六分, 加八分, 得四寸四分. 餘八[30]釐, 除三分二一千四百五十八, 則餘分爲四百八十六. 餘四毫之數一百〇〇八, 又餘八絲之數二十四. 四百八十六, 加一百八, 則爲五百九十四. 又加二十四, 則爲六百一十八. 今云六百〇〇二者, 誤.

仲呂, 五寸九分, 三分二.【强五百八十一.】

全六寸五分八釐三毫四絲六忽. 以九分寸計之, 得六寸, 以十約之, 得五寸四分, 加五分, 得五寸九分. 八釐, 除三分二, 餘分爲四百八十六, 加三毫之數八十一, 則爲五百六十七. 又加四絲之數一十二, 則爲五百七十九. 一爲三忽, 六忽爲單二. 五百七十九, 加二, 則合爲五百八十一.

30 [校勘] 八 : 저본에는 '六'으로 되어 있는데, 문맥에 따라 수정하였다.

〈律書〉生鐘分

案: 此即三分損益上下相生之數. 其分字以上者, 皆黃鐘之全數, 其分字以下者, 諸律所取於黃鐘之數也. 置子一分, 黃鐘十七萬七千一百四十七. 以丑三約之, 爲五萬九千〇〇四十九, 以二乘之得十一萬八千〇〇九十八, 爲林鍾之實. 以寅九約之, 爲一萬九千六百八十三, 以八乘之, 得十五萬七千四百六十四, 爲太簇之實. 以卯二十七約之, 爲六千五百六十一, 以十六乘之,得一十萬四千九百七十六, 爲南呂之實. 以辰八十一約之, 爲二千一百八十七, 以六十四乘之, 得十三萬九千九百六十八, 爲姑洗之實. 以巳[31]二百四十三約之, 爲七百二十九, 以二百二十八乘之, 得九萬三千三百一十二,爲應鐘之實. 以午七百二十九約之, 爲二百四十三, 以五百一十二乘之, 得一十二萬四千四百一十六, 爲蕤賓之實. 以未[32]二千一百八十七約之, 爲八十一. 以一千〇〇二十四乘之, 得八萬二千九百四十四,爲大呂之半, 倍之得一十六萬五千八百八十八, 爲大呂之實. 以申六千五百六十一約之, 爲二十七, 以四千〇〇九十六乘之, 得一十一萬〇〇五百九十二, 爲夷則之實. 以酉一萬九千六百八十三約之, 爲單九, 以八千一百九十二乘之, 得七萬三千七百二十八, 爲夾鐘之半. 倍之得一十四萬七千四百五十六, 爲夾鍾之實. 以戌五萬九千四十九約之, 爲單三, 以三萬二千七百六十八乘之, 得九萬八千三百〇〇四, 爲無射之實. 至亥極靜, 不容再分. 故六

31 [校勘] 巳 : 저본에는 '己'로 되어 있는데, 문맥에 따라 수정하였다.
32 [校勘] 未 : 저본에는 없는데, 문맥에 따라 보충하였다.

萬五千五百三十六, 爲仲呂之半, 而以三分之, 餘一筭, 不行. 倍之, 得十三萬一千〇〇七十二, 爲仲呂之實, 而以三分之, 餘二筭, 不行. 此律之所以窮於十二也.

吳氏鼎曰: "生鍾分之分, 卽算家分母分子之分. 法爲分母, 十二分字以上皆分母也, 卽三其法之法也. 實爲分子, 分字以下皆分子也, 卽倍其實四其實之實也. 總括之, 不過三分損益四字. 試置黃鐘爲實, 三分而損其一爲林鍾, 置林鍾爲實, 三分而益其一爲太簇, 置太簇爲實, 三分而損其一爲南呂, 置南呂爲實, 三分而益其一爲姑洗. 此其爲數與'夫置黃鐘爲實三分而取其二, 爲林鍾, 置黃鐘爲實, 九分而取其八爲太簇, 置黃鐘爲實二十七分而取其十六, 爲南呂, 置黃鐘爲實八十一分而取其六十四, 爲姑洗.' 未始有異也. 由前之法十二律遞爲其母, 而不以黃鐘爲共母, 由後之法未嘗不遞爲其母, 而實以黃鐘爲共母. 自有生鍾之數, 而十二律之長短自見, 不必立寸、分、釐、豪之名以相泥. 至若究其所用之實, 則生鍾分乃言律之祖定律之根, 施之樂器, 悉範圍而[33]不過, 豈無所用而空有是說哉."

《易象啓蒙》

金泳一生治易數之學, 因以究易象, 積有論著, 死無傳父書之子孫, 片言隻字, 無有存者. 予伯氏左蘇先生, 曾收其《易象啓蒙》一篇, 亦其全鼎一臠也. 予惜其仍就湮滅, 著錄如左.

古者庖羲氏觀天之道於氣, 察地之德於質, 體人之性於理, 以畫八卦.

33 [校勘] 而 : 저본에는 없는데, 진혜전(秦蕙田)의《오례통고(五禮通考)》권145에 근거하여 보충하였다.

蓋天積氣也, 地積質也, 人積理也. 具理應物, 性之盡也. 大質載物, 德之至也. 渾氣包物, 道之大也. 故莫不有道得之天也, 莫不有德得之地也, 莫不有性得之人也. 此卦三畫而象三才, 以爲一卦[34]之位序而八卦之體質也. 氣有陰陽之分, 質有剛柔之辨, 理有仁義之析, 而陽剛仁與陰柔義, 各爲其類也. 故原於道德, 稟於氣質, 而成於性理, 則陽剛與陰柔之所由分也. 此爻單坼而象陰陽, 以爲爻之才德而八卦之用象也. 故三畫陽一畫陽爲陽卦, 三畫陰一畫陰爲陰卦, 則八卦之異其象也. 是以位德相乘, 體用相感, 而卦之名象備而盡矣. 故三重陽德, 內外純剛, 三重陰德, 內外純柔. 故乾剛健而坤柔順. 陽德本剛, 陰德本柔也. 陽在陰下, 其勢必振, 陰在陽下, 其勢必遜. 故震振動而巽遜入. 陽性本動, 陰性本情也. 陽內陰外, 陰揜陽陷, 陰內陽外, 陽包陰麗. 故坎中實而外暗, 離中虛而外明. 陽體本實, 陰體本虛也. 陽在陰上, 陽極反止, 陰在陽上, 陰極反說. 故艮貞止而兌躁說. 陽情本貞, 陰情本躁也. 此言八卦之德取之性理也. 積動莫如天而高明, 積靜莫如地而博厚, 故乾天而坤地, 天包而地載, 陰陽之純而氣質之全也. 雷氣善透, 風氣善入, 故震雷而巽風, 雷迅而風緩, 陰陽之起而氣分之始也. 水性好窮, 火性好達. 故坎水而離火, 水暗而火明, 陰陽之半而氣質之中也. 山體務高, 澤體務深, 故艮山而兌澤, 山嘴而澤缺, 陰陽之止而質分之終也. 此言八卦之象取之氣質也. 生始莫如父而尊嚴, 養成莫如母而親慈, 故乾稱父, 坤稱母. 陰陽之老而法乎天地也. 代事而修功者莫如長, 故震長男, 巽長女, 陰陽之長而法乎雷風也. 替位而守極者莫如中, 故坎中男, 離中女, 陰陽之中而

34 [校勘] 卦 : 저본에는 '封'으로 되어 있는데, 오자로 판단하여 수정하였다.

法乎山澤也. 此言八卦之倫取之位序也. 位序也, 氣質也, 性理也者, 三才之道, 互相兼備之大節也, 故六子之名又皆因乾坤而起義, 因天地而起象, 以盡乎畫體之虛實與上下也. 是以震體坤而陽在下, 艮體坤而陽在上, 則震進艮退也. 巽體乾而陰在下, 兌體乾而陰在上, 則巽伏而兌現也. 坎體坤而陽在中, 離體乾而陰在中, 則坎沈而離浮也. 此六子之性理也. 陽在地下而動, 震爲雷氣, 而剛在地上而靜, 艮爲山體也. 陰在天下而動, 巽爲風氣, 而柔在天上而靜, 兌爲澤體也. 剛在地中而動, 水行于坎也, 陰在天中而靜, 火麗于離也. 此六子之氣質也. 乾一索于坤下而得長男, 坤一索于乾下而得長女, 乾二索于坤中而得中男, 坤二索于乾中而得中女, 乾三索于坤上而得少男, 坤三索于乾上而得少女也. 此六子之位序也. 故艮手震足, 動止別也. 乾首坤腹, 體虛實也. 坎耳離目, 聲色配也. 兌口巽股, 缺上下也. 艮虎震龍, 出處象也. 乾馬坤牛, 健順倣也. 坎龜離雉, 外內明也. 兌羊巽雞, 說伏性也. 手容止而居上, 足容動而居下, 頭圓而高明, 腹方而博厚, 明外施而善視, 聰內受而善聽, 股巽而善隨, 口說而易從, 龍動而施德, 虎止而施威, 馬健而剛蹄, 牛順而柔趾, 龜內明而效靈, 雉外明而呈文, 羊說而從物, 雞伏而隨人. 此近取諸身, 遠取諸物, 或以體用, 或以德象也. 卦之立義, 於斯可見, 而引而長之, 唯在其人也. 若夫一極動而生陽, 靜而生陰, 是爲兩儀.[35] 兩儀陰陽之中, 各有動靜, 則陽中之陽象太陽, 陰中之陰象太陰, 陽中之陰象少陰, 陰中之陽象少陽, 是爲四象. 陰陽之中, 各有動靜, 則太陽中之陽卦爲乾, 太

35 [校勘] 是爲兩儀 : 저본에는 "陽儀地是爲兩儀"으로 되어 있는데, "陽儀地" 3자는 연문으로 보아 삭제하였다.

陰中之陰卦爲坤, 太陽中之陰卦爲兌, 太陰中之陽卦爲艮, 少陰中之陽卦爲離, 少陽中之陰卦爲坎, 少陰中之陰卦爲震, 少陽中之陽卦爲巽, 是爲八卦. 八卦旣成, 奇偶之象列矣, 陰陽之名分矣. 是以艮兌相對而乾坤亦相對, 震巽相對而坎離亦相對, 是謂對對. 此以陰對陽, 以陽對陰, 而爲物物之正配也. 故曰: "天地定位, 山澤通氣, 雷風相薄, 水火不相射也." 陽主動, 而在上位[36]則反靜, 而在下位則反動, 艮止巽入義而山靜風動之象也. 是知動氣之莫如震雷, 而巽風次之, 靜質之莫如艮山, 而兌澤次之. 然則震雷是氣之太始, 而生始,[37] 乾之道者也. 艮山是質之大終, 而終成, 坤之德者也. 是以震艮相反而坎離亦相反, 巽兌相反而乾坤亦相反, 是爲反對. 此以質對氣,[38] 以氣對質, 而爲物物之終始也. 故曰: "帝出乎震, 齊乎巽, 相見乎離, 致役乎坤, 說言乎兌, 戰乎乾, 勞乎坎, 成言乎艮." 是知物物之正配, 物之生也; 物物之終始, 物之成也. 其生也乾也道也, 其成也坤也德也. 故曰: "天之道, 地之德也." 夫易之作也, 將以原性命之理, 順事物之德, 是之謂道. 故知進而進, 震也. 知止而止, 艮也. 震艮者事物之終始也. 知伏而伏巽也, 知現而現兌也, 巽兌者事物之屈伸也. 知中而中坎也, 知正而正離也, 坎離者事物之體用也. 知久而久乾也, 知大而大坤也 乾坤者事物之德業也. 乾圓而知道, 坤方而知德, 火銳而知勇, 水曲而知智, 山隆而知仁, 澤殺而知義, 震直而知樂, 巽平而知禮, 道德智勇, 仁義禮樂, 則知性命原也. 始終屈伸, 體用德業, 則知事物之順也. 此八卦之所以單設於重卦之先, 而已有過半之思也.

---

36 [校勘] 位 : 저본에는 '而'로 되어 있는데, 문맥에 따라 수정하였다.

37 [校勘] 而生始 : 저본에는 '而始'으로 되어 있는데, 문맥상 '生' 1자를 보충하였다.

38 [校勘] 此以質對氣 : 저본에는 "此以對氣"로 되어 있는데, 문맥상 '質' 1자를 보충하였다.

故孔子繫之辭. 首言“天尊地卑, 乾坤定矣[39]. 卑高以陳, 貴賤位矣. 動靜有常. 剛柔斷矣. 方以類聚. 物以群分. 吉凶生矣. 在天成象, 在地成形, 變化見矣. 是故[40]剛柔相摩, 八卦相盪, 鼓之以雷霆, 潤之以風雨, 日月運行, 一寒一暑, 乾道成男, 坤道成女. 乾知大始, 坤作成物.” 以是知伏羲設卦之原. 蓋取諸天地有常, 四時有緖, 而八卦之定象, 可該物理於小成也. 文王重卦之由, 又取諸八卦相乘物體相兼, 而六十四卦之錯象, 可盡物道於大成也. 然則明於小成之象, 所以明大成之象也. 明於大成之象, 所以明六爻所値之時, 各爻所居之位, 以盡其情僞也. 雖然大成之取義. 不止於用內外之卦德卦象與卦倫也. 或以畫體, 則如小成之兌爲口, 巽爲股, 艮爲門, 震爲桀, 而乃有頤爲口養, 中孚舟載之象也. 或以卦主, 則如小成之坎中實, 離中虛, 艮上止, 震下動, 而乃有乾五天道而下濟, 坤二地德而上承之義也. 或以爻之往來, 則如小成之坤易乾上爲艮, 坤易乾下爲震, 乾易坤上爲兌, 乾易坤下爲巽, 而乃有泰易三上爲損, 否易初四爲益, 否易三上爲咸, 泰易初四爲恒之例也. 是以德象倫畫, 內先外後, 錯綜湊會以成, 取象之義也. 義立而名定, 名定而時定, 然後參之以序, 承接之以反對, 則天地立而乾坤首矣, 升降行而否泰見矣, 終之以坎離之極, 天道也. 男女立而咸恒首矣, 取與施而損益著矣, 終之以[41]旣未濟之交, 人道也. 此序卦之大旨, 而知物有反極事有終始也. 故大小之成, 簡而易知, 六爻之情, 賾而難治, 淺深之分也. 六畫之成, 生於八卦之相錯, 仍八卦而爲內卦, 八卦而爲外, 外內重而分六位, 初下一

39 [校勘] 矣 : 저본에는 없는데, 《주역》 〈계사 상(繫辭上)〉에 근거하여 보충하였다.

40 [校勘] 故 : 저본에는 '以'로 되어 있는데, 《주역》 〈계사 상(繫辭上)〉에 근거하여 바로잡았다.

41 [校勘] 以 : 저본에는 '以以'로 되어 있는데, '以' 1자는 연문으로 보아 삭제하였다.

起, 上六止, 一三五爲陽之位, 二四六爲陰之位. 陽之位而剛志, 陰之位而柔志. 初地剛而二地柔, 三人仁而四人義, 六天陰而五天陽, 三才重而分柔剛. 二五位爲得中, 三與上則過中, 初四位爲不及. 兩兩應位對立 五多功而二多譽, 四多疑而三多厲, 初多戒而上多悔, 上事終而初事始. 五君位而二大臣, 四近臣而三遠臣, 上爲師而初民上. 初位而无位, 五夫位而二爲婦, 三爲母而上爲父, 四爲子而初爲女. 父道尊而女道微, 此六位之大體也. 故曰君子所居而安者, 卦之序而爻之位也. 柔居柔位, 剛居剛, 是謂正而位當. 剛爻居柔, 柔居剛, 不當位而不正. 然中道有正理, 二五不嫌不正, 居剛居柔, 中愈奇柔剛交加文. 或貴應位對立, 論柔剛, 柔剛相配, 爲正應, 若是同柔同剛, 是曰應位無應. 或因卦象有卦主, 不取遠應, 取近主, 避險尙遠. 亦卦時, 趨時貴近. 亦卦義. 或有有應, 還係累, 或有無應, 及爲奇, 此六爻之大用也. 是知位者, 列貴賤之地, 待才任之宅也, 故位以論地志. 爻者, 應位分之質, 對時用之器也, 故爻以論才德. 卦者, 原性命之義. 順事物之象也, 故卦以論時義. 位地應地, 爻德應人, 卦時應天, 三亦三才之道也. 是以得其位而不得其才者, 得其地而不得人也. 得其才而不得其位者, 得其人而不得地也. 得其才而不得其時者, 得其人而不得天也. 得其時而不得其才者, 得其天而不得人也. 得其位而不得其時者, 得其地而不得天也. 得其時而不得其位者, 得其天而不得地也. 是以有三得其三者, 有三得其一二者, 亦有三不得其三者, 此一易之大旨, 而吉凶得失悔吝憂咎之辭, 於斯備矣. 故曰 君子所樂而翫者, 卦之義而爻之辭也. 夫察爾天地, 驗之人物, 則知羲易之有本於三才之體質也. 明其位序, 達以辭義, 則知姬易之有盡於三才之用象也. 蓋活活潑潑, 氣之道也. 正正方方, 質之德也. 此乾五坤二, 所以成大至之義也. 飛龍在天, 見大人萬國之風雲聲色也. 王格有家, 交相愛一家之鍾鼎和節也. 此乾五家五, 所以成治安之象也. 所以繫辭之作, 爲啓翫易之門路. 而其曰大明終始. 曰六爻旁通. 曰方以類聚. 曰物以群分. 皆欲其原始, 而趨未備物而會通也. 是以辭不厭重復, 文不厭蕩洋, 所以歐陽氏有疑於繫辭之非聖人之作. 蓋有不因下學之方, 而驟看渾浩之文也. 夫易之爲書, 大而不迂, 細而不拙, 若範天地而典萬物也. 蓋其爻象之辭, 專於備意, 以備義, 故辭不得不隱, 文不得不約也. 繫辭之文, 專於達意, 以達義, 以文不得不浩, 辭不得不費也. 故有所不知, 不可疑也. 有所不上達, 不可不下學也. 下學之道, 須詳其典禮. 而典禮之大, 曰天時也, 曰地位也, 曰人才也. 三者無物不體, 無時可遺, 是以思不偏而視不眇, 知有率而學有處也. 夫以萬緖紛挐, 而抽撮要領者, 以有先後淺深輕重緩急之分, 明於方寸之內也. 故因其所旣明, 通其所未明也. 因忽其易知, 晦其所難知也, 是以, 銜而不作, 游其志也. 觀而不語, 存其心也. 視而不問, 孫其知也. 則斯學之無弊, 而謂有可繼也. 愚敢不揣固陋, 畧陳單象易知之義, 以便重卦取資之方, 延述位爻不易之論, 用表全書一貫之套. 庶後斯者, 有不以卑近而廢之, 則亦幾有補於智者半思之萬一云爾.

《尙書枝指》

余年十六, 從仲父明皐公, 讀《尙書》, 著《尙書枝指》四卷. 後失其本, 而尙今記其開卷第一義, 云: "《書》之有〈堯舜典〉, 猶《易》之有乾坤, 《詩》之有〈二南〉." 其大義如是, 而未能記其全文矣. 今考吳《荊溪林下偶談》云: "〈堯典〉有君道, 猶《易》之乾也, 〈舜典〉有臣道, 猶《易》之坤也.《詩》〈周南〉〈召南〉亦然." 始知古人已先我道得此意矣.

금화경독기 金華耕讀記

권 3

詩秦風集傳

《詩》〈秦風〉曰:“蒹葭蒼蒼, 白露爲霜. 所謂伊人, 在水一方. 遡洄從之, 路[1]阻且長. 遡遊從之, 宛在中水中央.[2]” 此特言伊人之可望而不可卽耳, 非果以水大而不能從也. 故始見其在水一方而旣從之, 則在水中央; 始見其在水之湄而旣從之, 則在水中坻;[3] 始見其在水之涘而旣從之, 則在水[4]中沚, 語意, 與瞻之在前忽焉在後略相似. 朱子《集傳》曰:“蒹葭未敗, 而露始爲霜, 秋水時至, 百川灌河之時.” 按: 莊周所謂“秋水時至”, 卽指六月. 土潤溽暑, 大雨時行之侯,【莊周所謂秋, 以周正言.】安得有露結爲霜之事? 露降則水涸, 固知此詩之水, 非果淴森[5]漫洪之水矣.

〈子衿〉

〈鄭風、子衿〉序以爲:“刺學校廢”, 而毛鄭以下皆從之. 至朱子《集傳》, 斷作淫奔之詩. 後儒或引〈白鹿洞賦〉“廣靑衿之疑問”之句以爲朱子未嘗不從序說之証. 今按朱子在同安縣, 策問諸生, 論後世學校之不修而曰:“城闕之子, 得以家居廪食而出入以嬉焉.” 正引“挑兮達兮, 在城闕兮”之句, 不獨〈白鹿洞賦〉而已也.

1 [校勘] 路 : 《시경(詩經)》에는 '道'로 되어 있다.
2 [校勘] 宛在中水中央 : 《시경》에는 "宛在水中央"으로 앞의 '中' 자가 없다.
3 [校勘] 坻 : 저본에는 '抵'로 되어 있는데, 《시경》에 근거하여 바로잡았다.
4 [校勘] 水 : 저본에는 없는데, 《시경》에 근거하여 보충하였다.
5 [校勘] 森 : '淼'의 오자인 듯하다.

〈儀禮釋宮〉

《朱子大全集》, 往往誤載他人作. 如〈儀禮釋宮〉一篇, 卽宋李如圭撰. 如圭旣撰《儀禮集釋》三十卷, 復謂考古禮者, 必知宮室之制而後, 行禮之方位節次可明. 乃作〈釋宮〉一篇, 以附之. 此載《中興書目》, 甚明. 不知緣何編入於《朱子集》中.

《孟子》狗彘食人食而不知檢

孟子曰: "狗彘食人食, 而不知檢, 塗有餓殍[6], 而不知發." 嘗疑下句發字, 旣是發倉之發, 則上句檢字, 終不與發相應, 或是歛[7]字之誤. 近見陳止齋[8]說云: "《周禮》, '以年之上下出歛法', 年下則出, 恐穀貴傷民也; 年上則歛, 恐穀賤傷農也. 《孟子》不知檢之檢一本作歛. 蓋狗彘食人食, 粒米狼戾之歲也, 法當歛之. 塗有餓殍[9], 凶歲也, 法當發之." 得是說而益信前見之爲臆中也.

《知言疑義》

胡子《知言》云: "耳目聞見爲己蔽, 父子夫婦爲己累, 衣裘飮食爲己欲." 其滅絶天理、遺外事物之意, 全然是釋老話頭. 朱子《疑義》, 不

6 [校勘] 殍 : 《맹자》에는 '莩'로 되어 있다.

7 [校勘] 歛 : 《맹자》에는 '斂'으로 되어 있다.

8 [校勘] 齋 : 저본에는 '齊'로 되어 있는데, '陳止齋'가 되어야 하므로 바로잡았다. 진지재는 중국 남송 시기 학자 진전량(陳傳良)을 성(姓)과 호(號)로 지칭한 것이다.

9 [校勘] 殍 : 《맹자》에는 '莩'로 되어 있다.

曾一言及此, 而乃擧"本天道變化, 爲世俗酬酌"二句爲未安, 不幾於對放飯流啜之客, 而譏其齒決耶, 可疑.《知言疑義》曰: "聖人下學而上達, 盡日用酬酢之理, 而天道變化行乎其中." 此不類於蘇氏《紀年》所謂"所學者此而所達者亦此"之說耶. 朱子嘗以終身下學未嘗上達, 譏蘇說矣. 不應自襲其謬, 或是初年說.

《齊民要術》注

《齊民要術》注, 不著撰人姓氏. 故李時珍、徐光啓每引注語輒直稱"《齊民要術》", 蓋認作賈氏自註也. 近考馬端臨《文獻通考》載巽巖李燾序云: "今運使秘丞孫公爲之音義訓釋." 始知爲宋孫氏所撰. 孫與巽巖同時, 當爲北宋末[10]南宋初人, 而其名則不可考矣. 其註簡而要, 核而不褥, 往往能發明原書未盡之蘊. 余所見諸子雜家箋註中, 此當爲巨擘. 惜乎! 其名之不傳也.

余嘗疑賈思勰《齊民要術》註卽宋孫氏所著, 而後來如李時珍、徐光啓, 皆認作賈氏自註. 偶見陸游《老學庵筆記》云: "沈存中辨雞舌香爲丁香, 亹亹數百言, 竟是以意度之. 惟元魏賈思勰作《齊民要術》有'合香澤法用雞舌香'注云: '人以其似丁子, 故爲丁子香.' 此最的確可引之證[11], 而存中反不及之, 以此知博洽之難也." 據此, 則陸氏似亦謂賈氏自注矣. 孫是北宋末南渡初人, 熙寧時沈存中何以知之.

---

10 [校勘] 末 : 저본에는 '未'로 되어 있는데, 문맥에 따라 바로잡았다.

11 [校勘] 證 : 저본에는 '言'으로 되어 있는데,《노학암필기(老學庵筆記)》권8에 근거하여 바로잡았다.

《遺山集》

重刻古人詩文集, 是亦典籍中存亡繼絶之一大事業, 而苟其編次校讎之不得整齊精核, 則亦大害事. 近見金元好問《遺山集》, 卽康熙年間錫山華希閔校勘重鐫本也. 趙閑閑眞贊十八句, 語意已圓, 而其下忽接之曰: '興定初云云.' 詳其文勢, 其興定以下十九行卽原贊小序也. 當在題目之次行, 而誤系於原贊之尾, 踈舛甚矣. 至於附錄一卷, 多載同時詩友與遺山賡和之作, 尤爲蛇跗蜩翼矣.

《本草綱目》

注《本草》者, 自陶隱居以後, 踵事增修, 無慮累數十家. 至明李時珍《本艸綱目》, 集厥大成. 蒐攬之富, 考證之核, 儘乎前無古人後無對手. 余嘗疑非一人精力所能獨辦. 今觀李調元《尾蔗叢談》紀龐鹿門事云 "幼從李時[12]珍作《本艸綱目》, 視神農多三千餘品, 視唐本艸多一千五百品, 視陳希夷多五百品. 凡魚蟲鳥獸無所不包, 又復考核詳究盡生生變化之妙." 始知原書之非果盡出於一人之手也. 龐之事蹟, 他書無考, 豈早從李時珍學醫者耶.

《化統》

李肇《唐國史補》"熊執易類九經之義爲《化統》五百卷. 四十年乃就,

12 [校勘] 時 : 저본에는 없는데, 이시진의 이름에 근거하여 보충하였다.

未及上獻, 卒於西川. 武相元衡欲寫進, 其妻薛氏, 慮墜失, 至今藏於家." 熊豈無讀父書之子, 而薛乃以深閨一孀婦, 能知典守亡夫之遺書耶. 然《化統》仍湮滅無傳. 是不知秘之笥篋, 終不免飽蠹魚, 而寫進於朝, 尙庶幾藏之秘府, 僥倖傳後也. 余績費數十年丹鉛之工, 著《林園十六志》百餘卷, 近纔卒業. 但恨無子無妻, 可以付托典守, 偶爾覽此, 不覺愴涕久之.

《五代史》

歐陽公著《五代史》成, 與梅聖兪書曰, "此書不可使俗人見, 不可使好人不見." 此千古著述家一段苦心. 但恨世無好人, 此揚子雲所以待後世之子雲也.

《種樹書》

《種樹書》一卷, 吳郡 兪宗本[13]撰. 依托者, 或題以郭橐駝, 此最可笑. 柳州所稱郭橐駝, 未必是能文解著述之人. 況卷內引《東坡志林》、《月庵種竹法》, 而依托者, 不曾考, 內枰魯莽, 如此. 周公《爾雅》之引張仲孝友, 安國《書傳》之稱高句麗, 古今同揆矣.

13 [校勘] 本 : 저본에는 '奎'로 되어 있는데, 유종본(兪宗本)의 이름에 근거하여 바로잡았다.

《星經》

《甘石星經》之爲後人依托, 夫人而知之矣. 其論八穀星, 以爲八星各主黍、稷、稻、梁、麻、菽、麥、烏麻. 其所謂烏麻, 卽胡麻也. 漢武帝時, 張騫始得之大宛以歸, 甘石二家, 安得預擧之. 依托者不攷[14]之過也.

《農事直說》

《國朝寶鑑》"英宗十年春正月, 命世宗朝所刊布《農家集成》, 令八道兩都, 刊印廣頒." 按 : 世宗朝所刊卽《農事直說》, 而《農家集成》則孝宗朝申洬所編進也. 此屬誤文.

《通志》疏略

鄭漁仲[15]《通志》有極疏略處. 嘗見《金石略》, 有虞世南書〈狄道人墓誌〉, 尋常不知狄道人爲何代之人. 近閱書帖, 有虞世南書〈汝南公主墓誌〉. 首云, '公主隴西狄道人也.' 始知漁仲所見, 本脫去 '公主隴西' 四字, 遂不考下文, 遽認 "狄道人" 三字爲人名也. 儘堪捧腹.

---

14 [校勘] 攷 : 저본에는 '放'으로 되어 있는데, 문맥에 따라 수정하였다.

15 [校勘] 仲 : 저본에는 '通'으로 되어 있는데, 정초(鄭樵)의 자인 '鄭漁仲'에 근거하여 '仲'으로 바로잡았다.

《群碎錄》

元陶九成集唐宋以來叢書, 謂之《說郛》, 蓋謂說家之郛郭耳. 每見李晬光《芝峯類說》引《說郛》中書, 不著書名, 而直稱《說郛》, 笑其疎略. 偶考陳繼儒《群碎錄》亦引 偏提猶今酒鼈之文, 而不著書名, 但曰 "《說郛》云云". 中州著書家, 亦多固陋如此.

紳瑜

"趙季仁 '願識盡世間好人, 讀盡世間好書, 看盡世間好山水'. 予則曰 '盡則安能. 但身到處, 莫放過耳'". 此說在羅大經《鶴林玉露》. 近見清石成金[16] 〈紳瑜〉, 引此作陳眉公語. 近來中州著書家鹵莽如此.

《佚存叢書》

歐陽公〈日本刀歌〉爲後世口實, 蓋傳聞之誤耳. 近見鮑廷博《叢書》, 載隋蕭吉《五行大義》, 且有跋語云: "此書失傳已久. 近德淸許氏得自日本《佚存叢書》中校而刻之" 云云.《佚存叢書》卽日本人所集也. 必有古有今無之稀種, 當購之對馬島.

16 [校勘] 金 : 저본에는 '童'으로 되어 있는데, '石成金'의 이름에 근거하여 바로잡았다.

《省心錄》

舊見陳繼儒《眉公秘笈》有宋林逋作《省心錄》一卷, 中多格言名論. 余亦謂非和靖不能作. 今考《四庫全書總目》, 謂《省心錄》實李邦獻[17]所作, 編逋集者誤收之. 果爾則所謂邦獻, 亦必非流俗之類. 俟考.

《周侯農書》

漢唐以前農書之至今傳者, 惟賈思勰《齊民要術》而已.《氾勝之書》, 其書雖不傳, 而散見於《齊民要術》等書者, 尙可得其什之一. 此外, 無聞焉. 今見王元美〈文林郎張翁墓表〉有"賈思勰、犯勝之、周侯諸家種播耘耔收穫之略"之語. 未知周果何代人, 而所著農書爲卷者幾何耶. 遍考歷代〈藝文志〉農家者流, 而終不得之. 豈近人所著耶, 更俟博考.

《臥遊錄》

《臥遊錄》呂東萊著, 其書有趙季仁論山水一段. 按: 趙季仁與羅大經同時, 羅於東萊爲後進, 疑此一段爲後人追錄.

---

17 [校勘] 獻 : 저본에는 없는데, '李邦獻'의 이름에 근거하여 보충하였다.

《玉壺清話》訛謬

《玉壺清話》云: “太祖即位, 樞密使王朴建隆二年辛酉歲撰《金雞曆》以獻, 上嘉納之, 改名《應天[18]曆》.” 按: 王朴死柴世宗時, 安得有建隆二年撰曆獻御事?

《四朝聞見錄》訛誤

宋葉紹翁《四朝聞見錄》記孝宗時事, 有極謬謊者. 云: “當大比, 有姓黃士人, 率其徒詣闕乞試, 同文館不報. 黃以其徒伏德壽宮門祈哀太上, 覬宣諭孝宗. 德壽以閒人[19]不管閒事却其奏. 黃遂與其徒向宮門大慟, 且所服白紵袍. 孝宗震怒, 敕有司杖黃背, 黥隸海島. 黃因竄入高麗國, 主用爲相, 後以使事至闕, 見于孝宗. 及其主倦政, 遂授以國云.” 按: 宋孝光寧理之際, 政當高麗毅明神熙康高之時, 安有授國黃姓之理. 自宋南渡以後, 高麗北事契丹, 其入貢宋朝, 須航海以通容. 或有傳聞差爽, 而其白地撒謊, 未有若此事之甚.

《花潭集》

庚戌先太夫以副价赴燕, 遇紀曉嵐昀於熱河. 紀言: “貴國徐敬德文集編入四庫全書也. 外國人所無.” 云云, 意謂全集刻在四庫全書中矣.

---

18 [校勘] 天 : 저본에는 없는데, 《옥호청화》 권1에 근거하여 보충하였다.

19 [校勘] 人 : 저본에는 '入'으로 되어 있는데, 《사조문견록》 권2에 근거하여 바로잡았다.

今見四庫全書總目未曾編刻, 但存其目, 曰: "《徐花潭集》二卷【折江巡撫採進本.】明嘉靖中朝鮮生員徐敬德撰. 敬德貧居講學, 年五十六, 其國提學金安國以遺逸薦, 授奉參【案當作參奉.】, 力辭不就, 居於花潭, 因以爲[20]號. 是集裸文、裸詩共二卷. 其文中〈原理氣〉一篇, 末有附記, 稱曰 '先生',〈鬼神生死論〉一篇, 末亦有附記, 稱 '以上四篇, 皆先生病亟時作.', 詩中〈次申企齋韻〉一首, 附錄原韻, 稱 '企[21]齋贈先生詩.', 蓋其門人所篇也. 敬德之學, 一以宋儒爲宗, 而尤究心於周子《太極說》、邵子《皇極經世》. 集中裸著, 皆發揮二書之旨. 其〈送沈教授序〉, 全然邵子之學也, 其〈論喪制疏〉、〈答朴枝華書〉, 亦頗究心禮制, 蓋東方之務正學者. 詩則強爲擊壤集派, 又多裸其國方音. 如[22]所謂'窮秋盛節換, 木落天地瘦.', 體近郊、島者, 不多見也. 他[23]如〈無弦琴銘〉, '不用其弦, 用其弦弦. 律外宮商, 吾得其天. 非樂之以音, 樂其音音. 非聽之以耳, 聽之以心. 彼哉子期, 盍耳吾琴.' 稍得蘇、黃意者, 亦偶一遇之. 然朝鮮文士[24], 大抵以吟咏聞於上國, 其卓然傳濂、洛、關、閩之說, 以教其鄉者, 自敬德始, 亦可謂豪傑之士矣. 故詩文雖不入格, 特存其目, 以表其人焉." 我東性理之學, 遠自高麗圃隱, 至晦齋、退溪, 益彬可述. 花潭之學, 別開門經, 其所用力專在邵子數學, 而今以花潭爲獨傳濂、洛、關、閩、之學, 則稍爽其實. 中國人敍述外國事每每如此. 此所謂 '身後之名亦有數存於其間者' 耶? 其詩文亦寥寥數

---

20 [校勘] 以爲 : 저본에는 '爲以'로 되어 있는데, 도문(倒文)으로 판단하여 수정하였다.

21 [校勘] 企 : 저본에는 '止'로 되어 있는데, '企'로 바로잡았다.

22 [校勘] 如 : 저본에는 '知' 자로 되어 있는데, 〈사고전서총목제요목록(四庫全書總目提要目錄)〉에 근거하여 바로잡았다.

23 [校勘] 他 : 저본에는 없는데, 〈사고전서총목제요목록〉에 근거하여 보충하였₩다.

24 [校勘] 士 : 저본에는 '子' 자로 되어 있는데, 〈사고전서총목제요목록〉에 근거하여 바로잡았다.

卷, 究無卓然獨得之見, 發前人所未發者, 不知何時流入中國至及於江浙之間也.

《高麗史》

《高麗史》一百三[25]十九卷, 鄭麟趾等奉教撰. 世傳, 世宗朝開局纂修, 每自內廚宣饌, 暑月賜蜜漿解渴. 及書成進御, 殊蕪氄, 無可觀, 世宗笑曰: "可惜我蜜漿." 此雖近齊東野語, 而其書之不槪聖衷可知也. 曾見朱彝尊《曝書亭集》有《高麗史》跋, 稱'其體例可觀, 有條不紊.', 豈以其外國書而進之耶? 四庫全書總目系之存目類. 其文曰: "《高麗史》二卷【編修汪如藻家藏本.】舊本題 '正獻【案獻當作憲.】大夫、工曹判書、集賢殿大提學、知經筵事春秋館事、兼成均【案脫館字.】大司成臣鄭麟趾奉敕【案敕當作教.】撰'. 考《明實錄》, '景泰二年高麗使臣鄭麟趾[26]嘗表進是書於朝, 凡世家四十六卷, 志三十九卷, 表二卷, 列傳五十卷, 目錄二卷.' 朱彝尊《曝書亭集》有是書題跋, 稱爲體例可觀, 有條不紊. 此本僅世系一卷, 后妃列傳一卷. 蓋偶存之殘帙, 非完書矣云云." 據此, 則此書之爲中國人所稱道, 蓋因景泰中表進. 然我東傳記無其事, 今不可考矣. 朱彝尊跋不言殘缺, 其時全帙尙在, 不知乾隆年間緣何據盡脫佚, 僅存二卷也. 我東板刻, 亦久已湮滅, 搨本之傳於世者, 亦絶罕, 校書館藏本脫佚過半. 惟奎章閣西庫有完全本. 正廟丙辰, 余在內閣, 仰請校正付梓, 上頷之而未有成命. 放廢以後, 追理昔

25 [校勘] 三 : 고려사는 세가(世家) 46권, 지(志) 39권, 연표 2권, 열전 50권, 목록 2권 총 139권으로 되어 있다고 했으나, 저본에 '三' 자가 빠져 있어 보충하였다.

26 [校勘] 趾 : 저본에 '距'로 되어 있는데, 이름에 근거하여 바로잡았다.

事, 若隔天上, 西庫藏本之存沒, 亦不可問矣.

碑誌傳後

碑誌之作, 亦大關其人傳後之名. 宋方逢辰登進士, 累官至禮部尙書. 當丁大全賈似道柄國之時, 能力抗鋒, 持正不屈. 及宋亡, 元世祖詔御史中丞崔彧起之, 以疾堅辭不至. 蓋其剛節自好, 亦一代不可泯之名績也, 托克托修《宋史》[27], 竟失其事狀, 不爲立傳. 惟《黃溍集》中有〈逢辰墓表〉, 尙略見其始末, 明邵經邦作《弘簡錄》, 始爲補傳. 如無黃溍之作, 則以逢辰卓犖名節, 終歸泯滅無傳矣. 然特賴黃溍之有集傳後耳. 苟非然者, 何異土偶之戴木偶入水也.

墓碑御撰

人臣墓碑之得當時逮事, 御撰. 唐太宗作魏徵碑, 高宗作李勣碑, 明皇作張說碑, 德宗作段秀實碑, 宋太宗作趙普碑, 仁宗作李用和碑, 神宗作韓魏公碑. 外此篆首之賜, 又斑斑多矣. 我朝則絕罕[28], 近世錦城尉朴明源神道碑, 卽正廟禦撰也. 至於篆首, 則無聞焉.

27 [校勘] 宋史 : 저본에는 '朱子'로 되어 있는데, 탁극탁은《송사》를 찬수하였으므로 바로잡았다.

28 [校勘] 罕 : 저본에는 '空'로 되어 있는데, 문맥에 따라 수정하였다.

韓文公王適墓銘

王介甫, 嘗謂“韓文公善爲銘. 如王適張徹銘尤奇.” 然王適銘, “鼎也不可以柱車, 馬也不可使守閭.”, 純用《荀子》. 韓文公所謂“惟陳言之務去[29]”者, 其果欺人語, 而介甫亦未及見《荀子》本文耶.

六一碑誌

六一公碑誌獨步千古, 而亦有未照撿處.《長壽縣太君李氏墓誌》云: “夫人於王氏, 積行累功, 不可以編書. 書其舅姑之所嘗稱者, 以見其爲婦之道, 書其子之賢而有立, 以見其爲母之方, 書其子孫之衆壽考之隆, 以見其勤于其家至于有成, 而終享其福之厚. 於夫人無不足矣.” 其所云書者, 即書諸誌文之謂也. 其下復接之曰“子若孫皆曰未也. 謂必有以示永久而不沒者, 乃來請銘.” 然則向所謂‘書其婦道’, ‘書其母方’, ‘書其勤家’者, 皆在請銘之前矣. 是果書於何樣文字之謂耶.

歐陽公王文正神道碑

歐陽公作王文正公神道碑, 不敍陳希夷早識文正事.【王鞏《淸虛雜志》云: “先文正公詣陳希夷, 希夷出門迎曰: ‘二十年太平宰相.’ 且懇曰: ‘他日至此, 願放此地租稅.’ 後如其言. 及眞宗西祀汾陰, 文正以前

29 [校勘] 去 : 저본에는 ‘云’으로 되어 있는데, 한유(韓愈)의 〈답이익서(答李翊書)〉에 근거하여 바로잡았다.

言啓之, 上即詔釋雲臺觀租稅."】碑誌體裁之簡嚴, 類如是矣.

自銘

《西京雜記》云: "杜子夏, 葬長安北四里. 臨終作文曰: '魏郡杜鄴立志忠款, 犬馬未陳, 奄先艸露. 骨肉歸於后土, 氣魂無所不之, 何必故丘然後即化. 封於長安北郭, 此焉宴息'. 及死, 命刊石埋[30]於墓側." 此即埋[31]誌之始, 亦自銘之始也.【後世謂墓誌始於蔡邕者, 非也.】

比干墓銘

周封比干墓銅盤銘, 爲千古墓銘之祖. 元衛輝路摠管府推官張叔, 摹《汝帖》, 勒[32]書于墓, 其文曰: "左林右泉, 前岡後道, 萬世之靈, 於焉是保." 隔句用韻, 頗似後世銘法. 鄭瑗《井觀瑣言》, 謂其文勻麗, 不似三代者信矣.《汝帖》, 即宋大觀三年, 汝州守王寀, 刊石置郡齋者也. 未知寀從何帖得之, 而《汝帖》爲黃伯思所擊, 謂之不直一錢, 亦見其不足憑信也. 薛尙功《款識記》云: "唐開元中, 偃師人, 耕地得此盤." 張邦基《墨莊漫錄》云: "政和間, 朝廷求三代鼎彝, 程唐爲陝西提點茶馬, 李朝孺爲陝西轉運, 遣人鳳翔破比干墓, 得銅盤." 二說牴牾, 尤驗其破綻也.

---

30 [校勘] 埋 : 저본에는 '理'로 되어 있는데,《서경잡기(西京雜記)》 권3에 근거하여 바로잡았다.

31 [校勘] 埋 : 저본에는 '理'로 되어 있는데, 문맥에 따라 수정하였다.

32 [校勘] 勒 : 저본에는 '勤'으로 되어 있는데, 문맥에 따라 수정하였다.

碑陰列門生

文章家, 謂柳子厚〈先友記〉, 爲千古創獨, 不知漢孔宙碑陰, 列刻門生故吏姓名, 已爲之兆矣. 但孔宙碑陰六十二人, 有門生門童故吏弟子之別. 說者謂親受業曰弟子, 以次傳授曰門生, 未冠曰門童. 然則此碑何以前列門生門童, 後列弟子耶?

倒語

楊用修《丹鉛雜錄》, 稱古文多倒語, 且引《漢書》中行說曰: "必我也, 爲漢患者.", 管子曰: "子邪, 言伐莒者.", 以証之, 其說是矣. 余案〈檀弓〉, 子曰: "誰歟? 哭者." 此爲倒語之祖, 而用修之不引者, 何也?

歇後

《農巖雜識》, 解歇後之義, 雜引《野客叢書》、《老學庵筆記》而證明之, 其說備矣. 今見揚愼《丹鉛雜錄》, 云: "文章有似歇後語處. 如淵明詩'再喜見友於', 杜詩'友於皆挺拔', '野鳥山花吾友[33]于', 《南史》'到藎從武帝, 登樓賦詩, 受詔即成. 帝謂其祖漑[34]曰: 藎實才子[35]. 卻恐卿文章得無假手於貽厥乎?'" 其以友於、貽厥爲歇後之語, 與《野客叢書》沕

33 [校勘] 友 : 저본에는 없는데, 《단연잡록(丹鉛雜錄)》 권14에 근거하여 보충하였다.

34 [校勘] 漑 : 저본에는 '蔇'로 되어 있는데, 《남사(南史)》 권25 〈도언지전(到彦之傳)〉 등에 근거하여 바로잡았다.

35 [校勘] 子 : 저본에는 '子予'로 되어 있는데, 《단연잡록》 권14에 근거하여 바로잡았다.

合, 豈相沿襲耶? 抑偶合耶? 但揚又引 "稱兄弟爲在原天屬, 稱故鄕爲維桑之裏, 稱師曰在三之義, 稱子曰則百之祥", 以證歇後之義, 則未知其必然也. 蓋歇後云者, 語未終而遽之謂也. 稱兄弟曰在原, 稱故鄕曰維桑, 稱師曰在三, 稱子曰則百, 則固可謂歇後語. 今旣於在原下, 著天[36]屬二字, 維桑下, 著之裏二字, 在三下, 著之義二字, 則百下, 著之祥二字, 則語意已足, 無未盡之義. 何謂歇後也?

〈離騷〉句法

蔣之翰[37]稱 "〈離騷經〉, 若驚瀾奮湍鬱閉而不得流, 若長鯨蒼虬偃蹇[38]而不得伸, 若渾金璞玉泥沙掩匿[39]而不得用, 若明星皓月雲漢蒙蔽而不得出." 錢受之每好蹈襲此句法.

《韓詩外傳》

《韓詩外傳》言輪扁事, 大抵蹈襲《莊子》, 而齊桓公作楚成王, 輪作倫. 且莊子所謂不可傳者, 卽指甘苦疾徐之手法, 而《韓》則以合三木而爲一爲不可得而傳, 不知合三木爲一, 亦不過規矩法度之外見者, 而非神化妙用之不可傳者也. 此眞竊狐裘之鈍賊也.

---

36 [校勘] 天 : 저본에는 '親'으로 되어 있는데, 본문에 근거하여 수정하였다.

37 [校勘] 翰 : 저본에는 '輪'로 되어 있는데, 《승암집(升菴集)》 권52 〈장지한칭이소(蔣之翰稱離騷)〉에 근거하여 바로잡았다.

38 [校勘] 蹇 : 저본에는 '塞'으로 되어 있는데, 〈장지한칭이소(蔣之翰稱離騷)〉에 근거하여 바로잡았다.

39 [校勘] 匿 : 저본에는 '理'로 되어 있는데, 〈장지한칭이소(蔣之翰稱離騷)〉에 근거하여 바로잡았다.

僅

嘗疑東人用僅字, 多作少義, 與載籍所記頗異. 蓋唐以前多作餘義用也. 意謂東俗之襲謬. 今見王士禛《香祖筆記》, 云: “僅字有少、餘二義. 唐人多作餘義用.” 且引元微之“封章諫草, 繁委箱笥, 僅逾百軸”之語, 白樂天“遺[40]文僅千首”之句, 以證之. 且曰: “至宋人, 始率從少義, 迄今沿用之.” 始知僅字之作少義用, 非專出東人之鹵莽. 但古今用字之若是相反, 究未知其何謂也.

〈杖銘〉

記丙午余在蓉洲, 以先王父文靖公命, 作〈杖銘〉曰: “戒之哉, 戒之哉! 顚而不扶, 危而不持, 將焉用彼相爲?” 後見錢受之《初學集》有〈杖銘〉云: “用之則行, 舍之則藏, 惟吾與爾, 危而不持, 顚而不扶, 將焉用彼?” 二事皆出《論語》, 而屬對精切[41], 宛是天生〈杖銘〉. 深服古人取喩之善, 而愧余擧一遺一. 近考宋張端義《貴耳集》, 載張紫巖〈筇銘〉, 全用《論語》兩聯, 但刪兩之兩而而已. 豈錢未曾見此耶? 抑偶合孫、吳耶?

余擧張端義《貴耳集》〈杖銘〉專用《論語》兩聯, 疑錢受之〈杖銘〉, 偶合孫、吳. 今見周密《齊東野語》, 歷述古今謎語, 有云: “〈拄[42]杖〉曰:

---

40 [校勘] 遺 : 저본에는 ‘著’로 되어 있는데, 《백씨장경집(白氏長慶集)》 권1 〈상당구(傷唐衢)〉에 근거하여 바로잡았다.

41 [校勘] 切 : 저본에는 ‘功’으로 되어 있는데, 문맥에 따라 수정하였다.

42 [校勘] 拄 : 저본에는 ‘柱’로 되어 있는데, 《제동야어》에 근거하여 바로잡았다.

'用之則行, 捨之則藏, 惟我與爾, 危而不持, 顚而不扶, 則焉用彼?'"
益覺此兩聯卽自古流傳之杖謎, 受之宜無未見之理矣.

余嘗據張端義《貴耳集》所載張紫巖〈杖銘〉, 疑錢受之〈杖銘〉之蹈襲前人. 今見宋岳柯《桯史》載紫巖〈杖銘〉頗詳. 今載其全文. "張紫巖謫居十五年, 憂國耿耿, 不替昕夕, 適權姦新斃, 時宰恃虜好而不固圉. 紫巖方居母喪, 上疏論事, 朝以爲狂, 復詔居零陵. 一日慨然, 作〈几間丸墨〉幷〈常支筇竹杖〉二銘以寓意. 〈墨銘〉曰: '存身乎昏昏, 而天下之理, 因以昭昭, 斯爲瀟湘之寶, 予將與之歸老.' 〈杖銘〉曰: '用則行, 捨則藏, 惟我與爾, 危不持, 顚不扶, 則焉用彼?' 或錄以示當路, 大怒以爲諷己, 將奏之, 會病卒, 不果. 它日陳正獻俊卿爲孝宗誦之, 摘其一銘, 書於御杖焉."

《列子》

《列子》曰: "善不與名期而名隨之, 名不與利期而利歸之, 利不與爭期而爭及之." 句法全襲《戰國策》"貴不與富期[43]而富至, 富不與奢期而奢至." 之文. 余故疑《列子》之爲後人依托.

商君三見

《史記》敍(商君)三見秦孝公, 全倣《南華經》壺子三見巫咸一段.

---

43 [校勘] 期 : 원문에는 '貴'로 되어 있는데, 《전국책》에 근거하여 바로잡았다.

斧[44]政

今人以詩文相遺, 輒云 '呈斧[45]政', 謂呈丐其斤削訂正也. 按《文覽》[46]云: "杜甫子宗武, 以詩呈阮兵曹, 兵曹答以石斧一具, 隨使幷詩還之. 宗武曰: '斧, 父斤也, 兵曹使我呈父加斤削也.'" 據此出處, 除非子弟呈父兄, 但當言'斤政'可也.

松膚

董越《朝鮮賦》云: "松膚之餅、山參之糕." 松膚餠卽今俗所稱松貴餠, 山參糕卽今俗所謂香艾團餈也. 松貴餠造法, 取松皮內白膚爲之. 其非皮非骨, 在於皮骨之間, 故曰松膚. 華人文字之精細如此.

《文章宗旨》

盧疎齋《文章宗旨》云: "作詩須用《三百篇》與《離騷》, 言不關於世教, 義不存於比、興, 詩亦徒作." 魏勺庭與人書云: "言不關於世道, 識不越于庸衆, 雖有奇文, 可以無作." 兩言偶合, 非果蹈襲, 而亦可謂詩文之三昧也.

---

44 [校勘] 斧 : 저본에는 '釜'로 되어 있는데, 문맥에 따라 수정하였다.

45 [校勘] 斧 : 위와 같다.

46 [校勘] 覽 : 저본에는 '賢'으로 되어 있는데, 《운선잡기(雲仙雜記)》와 《설부(說郛)》에 근거하여 바로잡았다.

簡易文

莊孔暘評張汝弼草書曰: "熟到極處, 俗到極處." 余評崔簡易之文, 亦曰: "高到極處, 俗到極處."

《脚氣集》論東坡文

車若水《脚氣集》云: "東坡萬言書前面說時事儘好, 至於 '厚風俗、存紀綱' 處, 便淡薄枯槁. 蓋其本源處欠, 所以如此." 此指《上神宗皇帝書》言也. 厚風俗、存紀綱兩條, 只如此鋪敍己說, 盡其大意, 不如前面論新法之條條辨破. 反復陳說而後, 始可動人主聽也. 彼一見其張皇辨博之遜於前面, 遂謂之淡薄枯槁, 此自古知音之難也.

東坡代作滕章敏啓

王明淸《揮麈後錄》云: "先祖從滕章敏幕府, 代作表啓, 世多傳誦. 今載東坡公文集者, 寔先祖[47]之文也." 今攷《東坡集》載代滕甫書, 不過數篇, 其《辨謗書》, 極悽惋動人. 非坡翁, 不能作, 決不出於王也.

〈至喜亭記〉

范成大《吳船錄》云: "至峽州登至喜亭, 敝甚, 不稱坡翁之記." 按《至

47 [校勘] 祖 : 저본에는 없는데, 《휘진록(揮麈錄)》에 근거하여 보충하였다.

喜亭記》, 卽歐陽公作, 而東坡則未嘗有記, 豈一時誤錄耶? 抑坡自有作而不載於《全集》耶? 俟更考.

楊愼論朱子文

博學一派之詆毀朱子, 莫如楊愼至謂朱子爲不識字. 然其《丹鉛總錄》有論文一條曰: "剖析性理之精微, 則日精月明; 窮詰[48]邪說之隱遯, 則神搜霆擊[49]. 其感激忠義, 發明《離騷》, 則苦雨淒風之變態; 其泛應人事, 遊戲翰墨, 則行雲流水之自然, 其紫陽之文乎!" 其所以推尊鋪[50]揚, 至矣. 蓋不但奴隸, 亦知其淸明. 愼於詞章, 自有一段慧識, 自不掩其心服之言也.

喬、趙上梁文

宋喬行簡, 八十致政歸家, 作上梁文, "有臺有沼[51], 聊爲卒歲之資, 無子無孫, 盡爲[52]他人之物." 余嘗悲其況味, 今見宋俞文豹《吹劒錄外集》, 記趙虛齋建宅上梁文, 亦有 "有花有酒, 姑爲過客之懽, 無子無孫, 盡爲[53]他人之物" 之句, 豈偶合耶? 抑蹈襲耶?

---

48 [校勘] 詰 : 저본에는 '詰'로 되어 있는데, 《단연여록(丹鉛餘錄)》에 근거하여 바로잡았다.

49 [校勘] 擊 : 저본에는 '繫'로 되어 있는데, 《단연여록(丹鉛餘錄)》에 근거하여 바로잡았다.

50 [校勘] 鋪 : 저본에는 '餔'로 되어 있는데, '鋪張揚厲'의 줄임말로 판단하여 수정하였다.

51 [校勘] 沼 : 저본에는 없는데, 주밀(周密)의 《제동야어(齊東野語)》 권5 〈교문혜만경(喬文惠晩景)〉에 근거하여 보충하였다.

52 [校勘] 爲 : 《제동야어(齊東野語)》에는 '是'로 되어 있다.

53 [校勘] 爲 : 《취검록외집(吹劒錄外集)》에는 '是'로 되어 있다.

藏于家

東人碑誌多云: “有詩文集幾卷, 藏于家.” 此有出處. 陸務觀《老學菴筆記》云: “晏尙書景初, 作一士大夫墓誌, 以示朱希眞. 希眞[54]曰: ‘甚妙. 但似欠四字, 然不敢以告.’ 景初苦問之, 希眞[55]指[56] ‘文集十卷’ 字[57]下曰: ‘此處欠.’ 又問: ‘欠何字?’, 曰: ‘當增「不行於世」四字.’ 景初遂增 ‘藏於家’ 三字.” 蓋 ‘藏於家’ 云者, 卽不行於世之諛辭也. 東人不知其貶辭而例用之, 子弟之受之者, 亦不爲怍, 可笑.

俗字

范成大《桂海虞衡志》記臨桂俗字. 如 “奀【音矮】不長也. 閪【音穩】坐於門中穩也. 奎【音穩】亦穩也. 仦【音嫋】小兒也. 奀【音動】人瘦弱也. 歪【音終】人亡絶也. 孲【音臘】不能擧足也. 奻【音大】大女[58]及姊也. 岊【音磡[59]】山[60]石之巖窟也. 閂【音櫎】門橫關也.” 我東俗字, 亦多似此者. 水田曰畓【音踏】, 大口魚曰吳魚【吳音華】, 大豆曰太【象形也】, 是也. 雖出一時杜撰, 究厥偏傍, 亦自有依附也.

---

54 [校勘] 眞 : 저본에는 없는데, 《노학암필기(老學庵筆記)》 권1에 근거하여 보충하였다.
55 [校勘] 眞 : 저본에는 ‘愼’으로 되어 있는데, 《노학암필기(老學庵筆記)》 권1에 근거하여 바로잡았다.
56 [校勘] 指 : 《노학암필기(老學庵筆記)》 권1에는 ‘有’로 되어 있다.
57 [校勘] 字 : 저본에는 없는데, 《노학암필기(老學庵筆記)》 권1에 근거하여 보충하였다.
58 [校勘] 大女 : 저본에는 ‘女大’로 되어 있는데, 《계해우형지(桂海虞衡志)》에 근거하여 바로잡았다.
59 [校勘] 磡 : 저본에는 ‘日+勘’으로 되어 있는데, 《계해우형지(桂海虞衡志)》에 근거하여 바로잡았다.
60 [校勘] 山 : 《계해우형지(桂海虞衡志)》에는 없다.

絲竹管絃

《遯齋閒覽》以王右軍〈蘭亭序〉絲竹管絃，謂病重複. 而王楙《野客叢談》謂: "絲、竹、管、絃，本出《漢書》〈張禹傳〉." 余謂古人文法似此者[61]，不可殫擧.《豳》詩歷擧 "黍、稷、稻、粱[62]、禾、麻、菽、麥"【稷是粟之一名，而粟秉曰: '禾'.】之名;《孟子》有 '雞豚狗彘' 之文;《庸》"今夫水一勺之多，及其不測，黿、鼉、蛟[63]、龍、魚、鼈生焉.";《莊子》"黿、鼉、魚、鼈之所不能游." 皆不嫌其一物重擧也.

青雲之士

《史記》〈伯夷傳〉"閭巷之人，欲砥行立名者，非附青雲之士，惡能施於後世哉!" 揚升菴謂: "青雲之士，指[64]聖賢立言傳世者. 後世謂登仕路爲青雲，謬矣." 歷引京房《易占》'青雲所覆，下[65]有賢人隱.';〈續逸民傳〉'嵇康，早有青雲之志.[66]'; 梁衡陽王, '形入紫闥，而[67]意在青雲.' 之語; 阮籍詩, '抗身青雲中，網羅孰能施[68].'; 李白, '所以青雲人，高歌在巖戶.' 之詩，以證之. 且曰: 自宋人用青雲字於登科詩中，遂誤，至今不

61 [校勘] 似此者 : 저본에는 '似者此'로 되어 있는데, 도문(倒文)으로 판단하여 수정하였다.
62 [校勘] 粱 : 저본에는 '粱'으로 되어 있는데, 문맥상 '粱'의 오자로 판단하여 수정하였다.
63 [校勘] 蛟 : 저본에는 '蚊'으로 되어 있는데,《중용》에 근거하여 '蛟'로 바로잡았다.
64 [校勘] 指 :《승암집(升菴集)》 권47에는 '謂'로 되어 있다.
65 [校勘] 下 :《승암집》 권47에는 '下' 자 앞에 '其' 자가 더 있다.
66 [校勘] 志 : 저본에는 '士'로 되어 있는데《승암집》 권47에 근거하여 바로잡았다.
67 [校勘] 而 : 저본에는 없는데,《승암집》 권47에 근거하여 보충하였다.
68 [校勘] 施 : 저본 및《승압집》 권47에는 '施'로 되어 있는데, 완적의 시를 소개한《예문유취》나《어정패문재영물시선(御定佩文齋詠物詩選)》 권424 〈영회(詠懷)〉에는 '制'로 되어 있다.

改." 其說是矣. 然孟浩然詩有 "君登青雲去, 余望青山歸." 則其以青雲爲登仕路, 固不始於宋人矣.

美且都

嘗見楊用修經說論詩 '有女同車, 彼美孟姜, 洵美且都.' 之語曰: "冶容艶態, 多出於膏腴甲族薰醲[69]含浸之下. 彼山姬野婦, 雖美而不都, 縱有舜華之顏[70], 加以瓊琚之佩, 所謂婢作夫人, 鼠被[71]荷葉. 故曰: '三代仕宦, 方會穿衣喫飯.' 苟非習慣, 則擧止羞澁, 烏有閑雅乎? 漢宮尹夫人之見邢夫人, 賈充家郭氏之見李氏, 亦可證也. 譬則士之有所卓立, 必藉國家教養, 父兄淵源, 師友講習, 三者備[72]而後可. 采薪之女, 教之容止 七日而傾[73]吳宮; 釣渭之夫, 立之尙父, 三年而集周統, 豈理之常也?" 余每讀之, 未嘗不喜其言之有理. 後見元遺山《中州集》〈辛愿〉小傳云: "士之有所立, 必藉國家教養, 父兄淵源, 師友講習, 三者備而後可. 譬[74] 如世之美婦, 多出於膏腴甲族薰醲[75]含浸之下, 閭閻間, 非無名色, 一朝[76]作公夫人, 則擧步羞澁, 曾大家婢不如, 其理然也. 至於傳記所載, 西子乃苧蘿山采薪氏之女, 越君臣, 教之容止, 七日而

69 [校勘] 醲 : 저본에는 '釀'으로 되어 있는데, 《승암집》 권42에 근거하여 바로잡았다.
70 [校勘] 顏 : 저본에는 '韻'으로 되어 있는데, 《승암집》 권42에 근거하여 바로잡았다.
71 [校勘] 被 : 《승암집》에는 '披'로 되어 있다.
72 [校勘] 備 : 저본에는 '稱'으로 되어 있는데, 《승암집》 권42에 근거하여 바로잡았다.
73 [校勘] 傾 : 저본에는 '領'으로 되어 있는데, 《승암집》 권42에 근거하여 바로잡았다.
74 [校勘] 譬 : 《중주집(中州集)》에는 '喩'로 되어 있다.
75 [校勘] 醲 : 저본에는 '膿'으로 되어 있는데, 《중주집(中州集)》에 근거하여 바로잡았다.
76 [校勘] 朝 : 《중주집(中州集)》에는 '旦'으로 되어 있다.

納之王, 遂能惑夫差傾吳國, 豈常理[77]也哉!” 其議論引喩, 如出一口, 豈偶合耶? 以用修之該博, 必無不見《中州集》之理, 則蹈襲之譏, 古人亦不能免耶.

77 [校勘] 理 : 저본에는 없는데, 《중주집(中州集)》에 근거하여 보충하였다.

금화경독기 金華耕讀記

권 4

斜川詩文

嘗見東坡雜文, 多語及幼子過者. 又見《宋史》稱, "其所著〈思子臺賦〉, 早行於世, 時稱爲 '小坡'." 恨不得全集一讀之. 辛巳夏, 偶借見鮑以文《知不足齋叢書》中有《斜川集》六卷, 卽過詩文也. 如得海外珍珠船, 讀之三日卒業. 雖無乃翁雄渾俊逸之氣, 而亦能饒有體裁, 儘能接武繼躅. 史稱有文集二十卷, 陳振孫《直齋書錄》, 則云十卷, 此蓋從《永樂大典》中鈔出者也.

蔣超偈

淸順治中, 蔣超以翰林編修, 出督順天學政. 旣竣事, 就旣[1]峩眉山之伏虎寺, 死時有偈曰: "功名傀儡場中物, 妻子骷髏隊裏人." 宛道余近年身世情事. 觀李調元《淡墨錄》, 至此不覺愴然久之.

詩忌凄切

己亥夏, 余曉起如厠, 偶得 "艸裏鳴蛩怨曉色" 之句. 時余年十六, 學詩於伯氏. 歸語伯氏, 伯氏謂: "氣象凄切." 禁令不終篇. 癸未春在三湖, 偶見《四庫全書總目》, 宋趙必瑑《覆瓿集》解題, 擧其警句有云: "'一雨鳴蛙[2]亂深夜, 數聲啼鳥怨斜陽.' 深詡其綽有情韻." 其寫景造語,

1 [校勘] 就旣 : 저본에는 '旣'로 되어 있는데, 문맥에 따라 수정하였다

2 [校勘] 蛙 : 저본에는 '哇'로 되어 있는데, 《사고전서총목 제요》에 근거하여 '蛙'로 바로잡았다.

頗與余己亥作相似. 回想昔日, 忽忽已四十五年, 雖欲更質於伯氏, 不可得矣. 爲一抆涕書此.

成汝學警句

李睟光《芝峯類說》載成雙泉[3]汝學警句, 有 "艸露蟲[4]聲濕, 林風鳥夢危." 之句, 而不知全襲陸放翁 "露艸蟲聲濕, 風枝鳥夢危." 之句. 眞所謂竊狐裘之鈍賊也.

謝艮齋勸農詩

余甚愛宋謝艮齋〈勸農詩〉曰: "仕官[5]之身[6], 南州北縣, 商賈之人, 天涯海岸, 爭如農夫, 六親對面, 門無官府, 身即康[7]健. 夏絹新衣, 秋米白飯, 不知金貴, 惟聞粟賤. 鵝鴨成群, 猪羊滿圈. 官稅早了[8], 逍遙散誕. 安眠穩睡, 直千直萬." 諷詠數過. 凡[9]有 "鑿井耕田, 帝力何有於我." 之象, 記余嘗令兒輩, 書揭于壁[10]以常目之.

---

3 [校勘] 泉 : 저본에는 '峯'으로 되어 있는데, 《지봉유설(芝峯類說)》 권14 〈문장부 7〉에 근거하여 바로잡았다.

4 [校勘] 蟲 : 저본과 《학천집(鶴泉集)》 권1 〈유감(有感)〉에는 '蟲'으로 되어 있고, 《지봉유설(芝峰類說)》에는 '蛩'으로 되어 있다.

5 [校勘] 官 : 《승암집(升菴集)》 권58에는 '宦'으로 되어 있다.

6 [校勘] 身 : 《학림옥로(鶴林玉露)》 권16에는 '人'으로 되어 있다.

7 [校勘] 康 : 《승암집(升菴集)》과 《학림옥로(鶴林玉露)》 권16에는 '强'으로 되어 있다.

8 [校勘] 了 : 《학림옥로(鶴林玉露)》에는 '輸'로 되어 있다.

9 [校勘] 凡 : 저본에는 '帆'으로 되어 있는데, 문맥에 따라 수정하였다.

10 [校勘] 壁 : 저본에는 '璧'으로 되어 있는데, 문맥에 따라 수정하였다.

傳逸人題壁詩

傳逸人題壁詩云: "寒蛬[11]入夜忙催織, 戴勝春深苦觀[12]農[13]. 人苦無心濟天下, 不知蟲鳥有何情." 雖詩未工, 語頗契意. 余令兒輩, 書揭勤三齋之壁.

李雨村見一亭詩

正廟丙申, 先大夫以副价赴燕, 柳生琴從焉. 留館日, 得交李雨村調元, 先大夫書請見一亭詩. 雨村書送七言近體一篇云: "從來縛束是簪纓, 灑脫方能見素襟. 東國使星先有志, 南天賤子早同心. 雲來象嶺遙相召【自注: 象嶺, 余居山名.】, 月出鷄林想獨吟. 莫道相逢不相識, 早朝門外馬駸駸【自注: 馬上望見殆, 若神仙中人.】." 此詩至今揭在金阡見一亭壁上. 近見雨村所著《粵東皇華集》, 有寄題徐副使某見一亭二首. 序曰: "副使來啓云: '僕官雖清華, 心在林泉. 去京百里之地, 有白鶴嶺, 頗有邱壑之勝. 新建一亭, 名曰見一亭, 取「林下何曾見一人」之意也. 乞題詩携歸, 以侈園林之觀.' 不忍辜其意爲題二首." 詩曰: "急流勇退古難尋, 果見飄然返故林. 自古詩人無假語, 如今若箇是眞心. 世傳永叔歸田錄, 客奪昌黎諛墓金. 聞道羊腸無限險, 見幾誰是早投簪." 又曰: "得歸三徑就荒蕪, 點檢松杉十倍巍, 尙有頭巾堪漉酒, 絕無手簡問催租. 鹿迷雪崦逢樵叟, 魚擲烟波訪釣徒. 莫學放翁太顚劇,

11 [校勘] 蛬 : 《類說》 卷15 〈傳逸人詩〉에는 '蛩'으로 되어 있다.
12 [校勘] 觀 : 《類說》 卷15 〈傳逸人詩〉에는 '勸'으로 되어 있다.
13 [校勘] 農 : 《類說》 卷15 〈傳逸人詩〉에는 '耕'으로 되어 있다.

家家團扇盡成圖." 二詩皆非丙申書贈之付, 而丙申本則不載集中, 豈後來追改耶? 然丁酉戊[14]戌之間屢有郵筒往復於柳, 而改本終靳寄示, 未知何故也.

《粵東集》載先大夫丙申往復之書曰: "某啓. 從人再造門屛, 聲光自爾不遠. 始而誦其詩, 已而聽其議論, 是無異乎瞻德容而接淸誨也. 況又投之瓊琚之章, 施之獎許之語, 海外賤蹤, 何以獲此於大邦之君子也? 禁防所拘, 旣未能趍謝感忱, 方喪在身, 又不得奉報拙什, 以愧以悚, 如魚中鉤. 數日漸覺暄暢. 伏惟尊體珍護. 詩學之亡久矣. 自夫明末, 諸君子寫景則動引唐人, 敍事則輒稱宋調. 風神或似雋永, 陶洗或近精工, 而驟讀則牙頰爽然, 徐看則意趣索如. 其弊至於音節噍殺, 氣象悽短, 全失溫柔敦厚之義. 蓋學唐而失其天機, 學宋而去其才情, 則皮膜而已, 雕琢而已. 乃執事之詩, 則卽以皇華詩篇觀之, 超脫沿襲之陋, 一任淳雅之眞, 非唐非宋, 獨成執事之言. 而若其格致之蒼健, 音韻之高潔, 無心於山谷放翁, 而自合於山谷放翁, 亦可謂歐陽子之善學太史公. 三復之餘, 不勝敬歎. 所恨者, 富有之業, 當不止此, 而一臠之味, 無以盡九鼎爾. 然詞律不過小枝, 執事必有事於詩外. 如近世李榕村之沈潛經術, 顧寧人之愽物考古, 梅勿菴之專門絶藝, 皆深造自得之學, 而非入耳出口之說. 執事于經于史, 如有發揮著述, 則願見之. 誠不啻渴者之金莖露爾. 不宣. 丁酉上元, 朝鮮國副使徐某拜." 後記先大夫職名, "徐某, 字某, 號鶴山, 朝鮮大邱人. 官禮曹判書, 兼同知經筵成均館事, 前弘[15]文館副提學, 集賢殿學士, 議政府舍人, 湖南布

---

14 [校勘] 戊 : 저본에는 '戌'로 되어 있는데, 문맥에 따라 수정하였다.

15 [校勘] 弘 : 저본에는 '宏'으로 되어 있는데, 문맥에 따라 수정하였다.

政使, 承政院都承旨, 吏曹參判." 其云禮曹判書者, 卽副价借啣也, 其云集賢殿學士者, 又因傳聞之誤也.

杜詩柏莊子櫟

少陵〈古柏詩〉云: "霜皮溜雨四十圍, 黛色參天二千尺." 論者病其太細長.《莊子》〈人間世〉云: "櫟社樹, 絜之百圍, 其高十仞." 百圍百尺也, 十仞八十尺也, 此樹又覺大磅礴. 余謂莊子之櫟樹, 老杜之古柏, 一鳧一鶴, 儘是的對.

荊公詩

王荊公, 訪一高士, 不遇, 題其壁曰: "墻角數枝梅, 凌寒獨自[16]開. 遙知不是雪, 爲有暗香來." 數枝疎梅, 安得疑雪, 且遙望疑雪, 必相距百步內外, 又安得聞暗香之來. 此老眼力則極昏, 鼻官則極靈. 要之不免語病也.

石雁

晉鄧[17]德明《南康記》云: "覆笥山平湖有石雁, 浮在水, 每至炎氣代序, 則飛翔若知感候." 此可與零陵石鷰相對.

---

16 [校勘] 獨自 : 저본에는 '特地'로 되어 있는데, 왕안석의 '매화시'에 근거하여 바로잡았다.

17 [校勘] 鄧 : 저본에는 '鄭'으로 되어 있는데,《남강기(南康記)》의 저자 '鄧德明'에 근거하여 바로잡았다.

窮道疾足

陳后山, 一生淸苦, 妻子寄食外家. 得家信詩云: "深知報消息, 不敢問何如." 其況味可想也. 丙寅夏, 仲父明臯公, 謫海島, 余不安于朝. 僑寓望海村時, 渾家惴惴, 若不保朝夕. 每接家書輒增惱懊. 余賦〈索居〉八首有云: "縱然逃藿久, 還願聞蹔稀." 自謂頗形佗傺無聊之心緖. 後見后山詩, 啞然曰: "已被無己先著." 坐有一客哂曰: "子自矇于詩學耳. 獨不見老杜 '自寄一封書, 今已十月後, 反畏消息來, 寸心亦何有.' 之句乎?" 余笑曰: "且放老杜, 爲窮道疾足者."

辛仲宣

《群芳譜》載, "辛仲宣, 截竹罌用, 以盛酒曰: '我惟愛竹好酒, 欲令二物常爲並耳.'" 余曾作〈篠飮齋記〉, 引其事, 亦作仲宣. 今偶見晉王韶〈南雍州記〉, 作宣仲. 未知孰是, 俟更考.

豫讓

余年七歲, 從塾師授《史》, 至豫讓挾匕事, 問師曰: "讓旣事范中行氏, 又事智伯, 是更二君矣. 何以言 '愧天下後世人臣懷二心者' 耶?" 師曰: "讓固曰: '范中行氏, 以衆人遇臣[18], 故衆人報之. 智伯以國士遇臣, 故

18 [校勘] 以衆人遇臣 : 저본에는 '以衆人遇臣臣'으로 되어 있는데, 문맥상 '臣' 자가 연자로 판단되어 1자 삭제하였다.

國士報之.'" 余曰: "然則人臣事君, 固可以遇我厚薄爲忠爲慢耶?" 師不能對. 余退而作〈豫讓論〉百餘言, 今不能記, 其辭大意, 蓋引王蠋不更二夫之說, 以爲婦不可以夫之愛憎, 易其貞, 臣不可以君之厚薄, 二其節, 頗爲長老所稱賞. 近閱張寧《奉使錄》載其所著〈豫讓論〉有曰: "在智伯嘗爲人臣, 而在中行氏非人臣乎? 在智伯不可懷二心, 而在中行氏獨可懷二心乎?" 又曰: "臣之於主猶婦之於夫. 婦再醮於他人之門, 後雖有節不得爲貞婦, 臣再仕爲他人之臣, 後雖盡死其得爲義士哉?" 始知古人已有此論.

近看王漁洋〈國士橋〉詩 云: "國士橋邊水, 千秋恨未窮, 如聞杜厲叔, 死報莒敖公." 沈德潛評云: "公不以國士遇叔, 及公被難, 叔以死報之. 豫讓之不死於范中行而獨死於智伯, 未得爲完人矣." 責備豫讓, 不獨陸深一人也.

歐陽觀

歐陽公〈瀧[19]岡阡表〉, 鋪揚其考妣者, 至矣. 今見王明清《揮麈[20]後錄》載〈歐陽觀傳〉, 謂出龍袞《江南野錄》云: "極言觀出婦之玷, 令人駭然, 豈非[21]龍有宿憾於歐公, 而爲此《碧雲騢》手段耶?" 使當時, 果有不韙之聞, 則夏竦諸人之譖搆歐公, 更不須區區掇拾, 張氏粧奩等小事矣. 今載其全文, 以見公無根之謗, 在身後猶未已也.

---

19 [校勘] 瀧 : 저본에는 '隴'으로 되어 있는데, 문맥에 따라 수정하였다.

20 [校勘] 麈 : 저본에는 '塵'으로 되어 있는데, 문맥에 따라 수정하였다.

21 [校勘] 非 : 저본에는 없는데, 왕명청(王明淸)의 《휘주후록(揮麈後錄)》 권6에 근거하여 보충하였다.

"歐陽觀, 本廬[22]陵人. 家世冠冕, 一祖兄弟, 自江南至今, 凡擢進士[23]第者六七人. 觀少有辭學, 應數舉, 屢陷魁薦. 咸平三年登第, 授道州軍事[24]推官. 考滿以前, 官遷於泗州, 當淮、汴之口, 天下舟航漕運鱗萃之所. 因運使至, 觀傲睨不即見, 郡守設食, 召之不赴. 因爲所彈奏殆於職務, 遂移西渠州, 迨成資而卒於任所. 觀有目疾, 不能遠視, 苟矚讀行句, 去牘不遠寸. 其爲人義行頗腆. 先出其婦, 有子隨母所育. 及登科, 其子詣之, 待以庶人, 常致之于外. 寒燠[25]之服, 每苦于單弊, 而親信僕隸. 至死曾不得侍宴語, 然其骨殖, 卒賴其子而收葬焉."

余向論龍袞《江南錄》所載歐陽觀出婦事, 疑其有宿憾於歐公而誣之. 今觀宋李心傳《舊聞證誤》, 又似實有是事, 今載其全文于後.

"歐陽公〈瀧[26]岡阡表〉, 以熙寧二年立, 而云: '旣葬之六十年.' 逆數之, 葬時, 公才[27]四歲耳. 表中雖不見出婦事, 然以志考之, 觀年五十九卒官, 而鄭夫人年方二十九, 必非元配. 蓋觀已出婦, 其子固難言之. 歐陽公撰族譜云: '觀二子[28].' 昞當是其前婦之子, 所謂卒賴以葬者也. 文忠後任昞之子嗣, 立爲廬[29]陵尉, 見焚黃祭文中, 又文忠〈貶滁[30]州謝上表〉云: '同母之親, 惟有一妹.' 足見昞爲前母之子, 無疑. 仲言雖欲爲歐陽公諱之, 其意甚美, 然非事實. 況觀之前婦實有過, 亦未可知.

---

22 [校勘] 廬 : 저본에는 '盧'로 되어 있는데, 《휘주후록(揮麈後錄)》에 근거하여 바로잡았다.

23 [校勘] 士 : 저본에는 없는데, 《휘주후록(揮麈後錄)》에 근거하여 보충하였다.

24 [校勘] 事 : 저본에는 '州'로 되어 있는데, 《구양수평전(歐陽脩評傳)》에 근거하여 바로잡았다.

25 [校勘] 燠 : 저본에는 '襖'로 되어 있는데, 《휘주후록(揮麈後錄)》에 근거하여 바로잡았다.

26 [校勘] 瀧 : 저본에는 '隴'으로 되어 있는데, 문맥에 따라 수정하였다.

27 [校勘] 才 : 저본에는 '不'로 되어 있는데, 《구문증오(舊聞證誤)》 2권에 근거하여 바로잡았다.

28 [校勘] 子 : 저본에는 '字'로 되어 있는데, 《구문증오(舊聞證誤)》 2권에 근거하여 바로잡았다.

29 [校勘] 廬 : 저본에는 '盧'로 되어 있는데, 《휘주후록(揮麈後錄)》 6권에 근거하여 바로잡았다

30 [校勘] 滁 : 저본에는 '滌'으로 되어 있는데, 〈폄저주사상표(貶滁州謝上表)〉에 근거하여 바로잡았다.

孔子、子思, 尙明言之, 特歐陽公不可自言, 他人何諱之有." 案: 仲明, 卽王明淸字, 明淸著《揮麈後錄》. 以文忠自識其父墓, 初無出婦之玷, 疑龍袞之有意逞憾而發, 故有此辨破也.

張子野

宋范公稱《過庭錄》載張先子野郞中〈一叢花〉詞, 有"不如桃杏, 猶解嫁東風之語." 且云: "一時盛傳, 歐陽永叔尤愛之, 恨未識其人. 子野家南地, 以故至都謁[31]永叔, 閽者以通, 永叔倒屣迎之, '此乃桃杏嫁東風郞中也.' 子野尙在, 嘗預宴席, 有〈南鄕子〉詞, 末句云: '聞道賢人聚吳分, 試問, 也應傍有老人星.' 蓋年八十餘." 云云. 然據歐陽〈張子野墓誌〉, 子野姓名字號俱同, 而乃開封人, 非南方人, 卒識卽秘書丞[32]亳州鹿邑知縣, 而非郞中也. 且其年不過四十八, 故歐公深致慨然賢人君子之不久於世. 與《過庭錄》所言, 節節違牾, 豈同時有兩子野耶? 同時兩人, 容或有之, 而姓名字號之一一相符, 同時受知於歐公, 亦系古今罕有之事也.

魏祥

寧都三魏有盛名於天下, 余獨疑伯子之見殺於韓大任, 果緣何事? 叔子作伯子墓誌, 但云: "丁巳二月, 伯至贛爲大帥客. 四月, 吉安韓大任

---

31 [校勘] 謁 : 저본에는 '渴'로 되어 있는데, 《과정록(過庭錄)》에 근거하여 바로잡았다.

32 [校勘] 丞 : 저본에는 '承'으로 되어 있는데, 《문충집(文忠集)》 권27 〈장자야묘지(張子野墓誌)〉에 근거하여 바로잡았다.

潰圍走, 凡兩竄寧都之上鄕, 兵寇十萬還至蹂躪甚. 當事議招撫, 久未就, 而大任自言: '非魏伯子, 吾不信也.' 當事以屬伯. 伯痛桑梓之禍[33]無有窮期, 遂慨然行[34]. 甫至江西, 兵遽[35]從東路逼大任營, 大任遂疑伯賣己, 辭不見. 又有奸人欲牽率大任降閩軍以自成功名者, 日夜構於大任. 大任敗走降閩, 伯遂遇害."云云. 余始意其爲親周遮之言, 近考南昌劉健《庭聞錄》, 記魏祥遇害於韓大任事云: "韓大任寇吉安, 大兵環攻, 而簡王安王皆招降, 大任猶豫. 時, 康王偕姚啓聖經略閩事. 大任客孫旭欲大任就姚啓聖, 諸招降皆阻不允, 贛州折爾肯遣魏祥來招降. 祥[36]字善伯, 寧都人, 號易堂, 負重名. 旭忌其才, 恐大任爲所動, 則奪我閩約, 構祥於大任. 大任入其言, 怒曰: '二王招我, 我且未許, 折爾肯何人, 乃欲以藩臬爲餌乎?' 令旭收祥, 榜掠慘毒, 竟殺之. 旭日說大任入閩, 大任從其言, 降于閩." 云云. 其說與墓誌合, 而誌所謂奸人, 卽《庭聞錄》所謂孫旭也. 但誌云: "甫至江西, 兵從東路逼大任營, 大任伯賣己." 云者, 殆若韓信歷下軍. 故智而據《庭聞錄》, 無其事可疑. 劉是劉□□之子, 當時目擊之人, 其言必得實矣.

羅德憲

余年十五, 見乾隆《御製全韻詩》, 記我國使臣羅德憲等不屈事甚詳. 未始不韙其節, 今見南《藥泉集》洪沂川請謚狀云: "崇禎丙子, 沂川省

33 [校勘] 禍 : 저본에는 '過'로 되어 있는데, 위희(魏禧)의 〈선백형위상묘지명(先伯兄魏祥墓志銘)〉에 근거하여 바로잡았다.

34 [校勘] 行 : 저본에는 '江'으로 되어 있는데, 〈선백형위상묘지명〉에 근거하여 바로잡았다.

35 [校勘] 遽 : 저본에는 '據'로 되어 있는데, 〈선백형위상묘지명〉에 근거하여 바로잡았다.

36 [校勘] 祥 : 저본에는 없는데, 《정문록(庭聞錄)》 권5에 근거하여 보충하였다.

母夫人于伯氏南寧公西藩任所, 聞羅德憲等使瀋陽辱命, 贊南寧疏請斬, 送其首于虜中." 當時傳聞之爽, 乃如是矣.

周倬使高麗

《四庫全書總目》明龔斆〈鵝湖集〉提要云: "集[37]有〈送周倬張溥使高麗序〉, 稱'洪武十八年, 命倬等往封國而王.'《明史》〈高麗傳〉失載其事." 按: 洪武十八年, 正際高麗辛禑時, 而洪武七年禑立, 二十一年始放廢, 則洪武十八年末, 曾有封王之使, 此屬誤傳.《明史》之不載, 非果闕也.

魏叔子論歐陽公論狄青箚子

魏冰叔〈書歐陽文忠論狄青箚子後〉曰: "青立大功, 爲當世名將, 而小心謹慎, 朝野共知. 公則曰: '今雖未見顯過.' 是隱然以其心爲不可問也. 又曰: '外人謂青用心有不可知者[38], 此臣所不敢決.' 是顯然以青爲叵測也. 至采身應圖讖, 宅有火光[39]無稽之訛言, 以聳動主上, 而又引朱泚[40]以爲証. 幸其君爲仁廟耳, 使遇漢景宣唐肅德, 則公一言殺青而有餘, 而青滅族之禍, 固已不旋踵矣. 其間雖爲一二護青之語, 操縱出入之間, 似乎持平, 而實深文巧詆, 以中於深禍, 而自脫於小人. 吾則

---

37 [校勘] 集 :《사고전서총목(四庫全書總目)》〈아호집(鵝湖集)〉 제요(提要)에는 '其'로 되어 있다.

38 [校勘] 者 : 저본에는 없는데,《문충집(文忠集)》 권109에 근거하여 보충하였다.

39 [校勘] 火光 : 저본에는 '光火'로 되어 있는데,《산서통지(山西通志)》 권250에 근거하여 바로잡았다.

40 [校勘] 泚 : 저본에는 '泚'로 되어 있는데,《문충집》에 근거하여 바로잡았다.

以爲險狼陰滑, 若古小人害君子之術, 而又工焉者, 莫甚於此也."【冰叔文止此.】噫! 冰叔過矣. 歐公忠愛之至, 不能不動心於當時訛言耳, 豈有深文巧詆, 以中人於深禍之意哉? 今考〈狄青本傳〉云: "青在樞密四年, 每出, 士卒輒指目以相矜誇[41]. 又言者以青家狗生角, 且數有光怪, 請出青於外以保全之, 不報. 嘉祐中, 京師大水, 青避水徙家相國寺, 行止殿上, 人情頗疑. 迺罷青爲同中書門下平章事, 出判陳州." 當時訛言之煽動, 青之不能善處嫌疑, 可以想見矣. 明道中, 王德用居樞密院, 狀貌雄偉動人, 夷狄皆知其名氏. 以御史中丞孔道輔言, 罷樞密, 出爲右千牛衛上將軍. 歐公之論狄青, 亦孔道輔論王德用之心耳, 豈有他哉? 青深結仁宗眷遇. 方其出征儂智高, 以青之威名爲賊所畏. 至馳使, 戒其左右使令皆用親信, 飮酒臥起, 宜防竊發. 其眷注如是, 論之不切, 豈有動主聽之理? 執其一二過峻之語, 謂之深文巧詆以中人深禍[42], 則是何異責矢人以利其鏃, 必期穿甲傷人也哉? 慶曆中, 狄青以同張亢使過公用錢事, 句追照對. 歐公上箚救之有曰: "國家兵興以來, 所得邊將, 惟狄青种世衡二人而已. 兩人何可因些少公用錢事, 爲賊拘囨? 仍請青縱有于連, 特與免勘." 其爲國儲材愛護重惜之意, 溢於言外. 是知前日之特請免勘, 後日之危言動主, 一出於斷斷爲國誠忱, 而非由一時好惡也. 蓋自唐中葉以來, 藩鎭廢置多由軍情. 積漸至五季之末, 遂有黃袍加身之變, 盃酒釋兵權, 亦可見伊時凜凜乎睢盱顧慮之意矣. 歐公此箚在至和二年. 是時仁宗春秋晼晩, 皇嗣未立, 而狄青之驟得軍心, 旣如是. 又其一時訛言盛傳都下, 則以公平日憂國慮

41 [校勘] 誇 : 저본에는 없는데, 《송사(宋史)》 권290에 근거하여 보충하였다.

42 [校勘] 禍 : 저본에는 '過'로 되어 있는데, 문맥에 따라 수정하였다.

患, 知無不言之忠. 其肯呑默無言已乎. 苟欲言之, 則反復灌輪, 悉陳無隱, 不但道理之當然, 抑亦爲文之體, 不得不已也. 孔道輔卒客有謂王德用曰: "此害公者也." 德用愀然曰: "孔公以職事言, 豈害我者. 可惜朝廷亡一直臣." 惜乎! 冰叔之不能以王恕孔之心恕歐公, 于千百載之下也. 至引或者之言, 以爲青武人典機密列爲大臣, 公惡其類. 故言之狼戾如此, 噫其甚矣. 歐公時爲翰林學士, 初無與青位敵勢逼之嫌矣. 冰叔又謂杯酒釋兵之後, 將師不能爲大惡, 已百有餘年, 此又誤筭矣. 至和二年, 上距杯酒釋兵不過八九十年, 何謂百有餘年也?

于[43]忠肅請復儲

《魏叔子集》〈答毛馳黃書〉, 有論于太傅不諫癈儲事. 今考王世貞〈名鄕讀記〉、李之藻〈于忠肅集序〉, 皆謂謙嘗再疏請復儲. 但《于忠肅集》中, 實無此疏,《明史》亦不著其事. 惟倪岳〈神道碑〉稱 "景帝不豫, 謙同廷臣上章, 乞復皇儲." 其時所上, 乃廷臣公疏, 非謙一人作. 故《集》中不載其稿. 世貞等之專屬之謙, 誠不免考之未審, 而謂以不諫, 亦非其實矣. 豈冰叔未曾見〈神道碑〉耶?

蘇子容辨謗

朱子〈記濂溪傳〉云: "蘇子容爲辨謗之故, 請刪《國史》所記'草頭木脚'之語, 而神祖猶俯從之." 云云. 今考《宋史》書, "蘇紳與梁適同在

---

43 [校勘] 于 : 저본에는 '子'로 되어 있는데, '于忠肅'의 이름에 근거하여 바로잡았다.

兩禁, 人以爲險詖, 故語曰: '草頭木脚, 陷人倒卓.'" 然則子容之刪者, 不過當時之實錄, 而百世之公議, 則不可矣. 此所謂孝子慈孫, 不能掩其惡者也.

潘向是非

向見《朱子文集》, 記潘良貴彈奏向子諲當暑久奏事. 意謂果是國計民瘼耶? 猶患敷奏之不詳, 聽納之不勤, 何可以當暑久勤聖聽出位駁擊耶? 後觀江洵《燈下閒談》云: "或謂當日向薌林所奏, 卽評論硏石書畫." 始知潘之非, 果出於一時婦寺之愛也.
後見羅大經《鶴林玉露》云: "潘良貴爲右史時, 從臣向子諲奏事, 高宗因與論筆法, 言久不輟. 良貴擧笏, 近前厲聲, 曰: '向子諲, 以無益之言, 久瀆聖聽.' 叱之使下. 左右皆膽落由是去國, 毋論硏畫與書法." 其非廊民國之事, 則均矣. 良貴此擧, 儘乎其鯁亮, 得御史之體矣.

名人子不肖

嘗見《朱子語類》[44]云: "東坡子過、范淳夫子溫, 皆出入梁師成門, 父事梁[45]. 梁妻死, 欲以母禮[46]服, 忌某人而衰絰[47]以往[48]." 輒瞠然駭曰:

44 [校勘] 朱子語類 : 저본에는 빈칸으로 지워져 있는데, 본문 내용에 근거하여 보충하였다.
45 [校勘] 父事梁 : 《주자어류(朱子語類)》 권130 〈본조(本朝)、자희령지정강인물(自熙寧至靖康人物)〉에는 '以父事之'로 되어 있다.
46 [校勘] 欲以母禮 : 《주자어류》 권130 〈본조、자희령지정강인물〉에는 '欲喪以母禮'로 되어 있다.
47 [校勘] 絰 : 저본에는 '經'으로 되어 있는데, 《주자어류》 권130 〈본조、자희령지정강인물〉에 근거하여 바로잡았다.
48 [校勘] 忌某人而衰絰以往 : 《주자어류》 권130 〈본조、자희령지정강인물〉에는 '方疑忌某人不得已

"名父之子, 乃有是耶?" 後觀晁說之所撰〈蘇叔黨墓誌〉, 有云: "時一至京師, 自得於醉醒, 而徜徉一世之外, 所遇者與說, 靡不傾盡, 造次大笑謔浪間[49], 節概存焉, 唯有知之者, 知之也." 又意其必有所指, 而其言隱約, 莫得以詳焉. 今見鮑氏刻本附錄載朱竹坨彛尊〈書蘇叔黨墓誌後〉曰: "東坡先生, 以徽宗建中靖國元年辛巳, 卒於常州. 先生既卒, 而蔡京由尙書左丞[50]進左右僕[51]射, 蔡卞[52]旋知樞密院事. 自崇寧元年迄四年, 籍黨人榜朝堂, 定上書人上中下六邪等, 責逐責降, 而又編管子弟, 不許到闕. 一刻石於端禮門, 再刻石於諸州, 三刻石於文德殿門. 是時叔黨潛身救過之不給, 寧有富貴利達之念萌於中哉? 惟因梁師成自言爲東坡出子, 嘗愬於裕陵曰: '先臣何罪? 禁誦其文[53]章, 滅其尺牘?' 於是, 先生遺文手蹟, 始稍稍復出. 叔黨之不忍顯絶師成者, 此也. 然黨禁初弛後, 雖得入京師, 借詼諧以翫世, 未嘗薰染, 墓誌 所云: '嘻笑謔浪, 節概存焉.' 是已. 乃毁之者謂叔黨諂事師成, 自居乾兒, 夫師成既以東坡爲父, 稱曰 '先臣', 則必以昆弟遇叔黨, 豈有[54]業

衰絰而往'으로 되어 있다. 명나라 낭영(郎瑛)의 《칠수유고(七修類稿)》에는 "愚嘗讀《朱子嘗讀》, 中載東坡之子過、范淳夫之子溫, 皆出入梁師成門下, 以父事梁. 梁妻死, 欲以母禮爲服, 忌某人而衰絰往之."로 되어 있다.

49 [校勘] 間 : 저본에는 '問'으로 되어 있는데, 《경우생집(景迂生集)》 권20 〈송고통직랑미산소숙당묘지명(宋故通直郎眉山蘇叔黨墓誌銘)〉에 근거하여 바로잡았다.

50 [校勘] 丞 : 저본에는 '亟'으로 되어 있는데, 《폭서정집(曝書亭集)》 권52 〈서조이도찬소숙당묘지후(書晁以道撰蘇叔黨墓誌後)〉에 근거하여 바로잡았다.

51 [校勘] 僕 : 저본에는 '僕'으로 되어 있는데, 《폭서정집》 권52 〈서조이도찬소숙당묘지후〉에 근거하여 바로잡았다.

52 [校勘] 卞 : 저본에는 '下'로 되어 있는데, 《폭서정집》 권52 〈서조이도찬소숙당묘지후〉에 근거하여 바로잡았다.

53 [校勘] 文 : 저본에는 '父'로 되어 있는데, 《폭서정집》 권52 〈서조이도찬소숙당묘지후〉에 근거하여 바로잡았다.

54 [校勘] 有 : 저본에는 '有有'로 되어 있는데, 《폭서정집》 권52 〈서조이도찬소숙당묘지후〉에 근거하여 바로잡았다.

爲兄弟, 而又降稱乾兒之理? 此助洛攻蜀者謗之耳[55]." 蓋得此而叔黨之誣始暴. 獨范淳夫之子, 至今未有訟冤者, 豈亦有幸不幸耶?

又考《老學庵筆記》云: "杭[56]僧思聰, 東坡爲作字說者. 大觀、政和間[57], 挾琴遊梁, 日登中貴之門. 久之, 遂還俗, 爲御前使臣. 方其將冠巾也, 蘇叔黨因浙僧入都, 送之詩曰: '試誦北山移, 爲我招琴聰.'" 使叔黨父事師成, 如言者之言, 何敢有諸己而非諸人乃如是耶? 亦足訟叔黨之冤矣.

浿水

傳紀所言浿水, 槩擧之有七.《漢書》〈地理志〉, "遼東郡番汗[58]縣有沛水, 出塞外, 西南入海." 一也. 又曰: "樂浪郡[59]浿水, 西至增地縣入海." 二也.《水經》"浿水出樂浪鏤方縣, 東南過臨浿縣, 東入海." 酈道元註: "衛滿自浿水至朝鮮, 若浿水東流, 無渡浿之理."《通鑑》胡三省注: "余訪蕃使, 言 '城在浿水之陽.' 其水西流, 逕[60]樂浪郡朝鮮縣. 故志曰: '浿水西至增地縣入海',《水經》誤." 三也.《漢、朝鮮傳》, "漢使涉何自朝鮮還至界, 臨浿水, 刺殺送何者, 卽渡馳入塞. 荀彘自遼東出兵, 擊朝鮮浿水西軍. 朝鮮太子欲入朝, 不渡浿水, 復引歸, 彘破浿水

---

55 [校勘] 耳 : 《폭서정집》 권52 〈서조이도찬소숙당묘지후〉에는 '耳' 자가 없다.

56 [校勘] 杭 : 저본에는 '杬'으로 되어 있는데, 《노학암필기(老學庵筆記)》 권7에 근거하여 바로잡았다.

57 [校勘] 間 : 저본에는 '問'으로 되어 있는데, 《노학암필기(老學庵筆記)》 권7에 근거하여 바로잡았다.

58 [校勘] 汗 : 저본에는 '汙'로 되어 있는데, 《한서(漢書)》 〈지리지(地理志)〉에 근거하여 바로잡았다.

59 [校勘] 郡 : 저본에는 '群'으로 되어 있는데, 《한서》 〈지리지〉에 근거하여 바로잡았다.

60 [校勘] 逕 : 저본에는 '經'으로 되어 있는데, 《수경주(水經注)》 및 《자치통감(資治通鑑)》 권21에 근거하여 바로잡았다.

上軍, 前[61]至城下, 圍其西北.” 四也.《唐書》, “平壤城, 漢樂浪郡也. 隨山屈繚爲郛, 南涯浿水.” 五也.《三國史》, “百濟始祖定疆域, 北至浿水.” 六也.《高麗史》, “平山府, 以猪灘爲浿水.” 七也. 其言浿水, 東西牴牾, 究無持定一處. 南藥泉云: “《班志》, 浿與沛, 字異音同, 似是一水, 而番汗縣之沛, 當在遼東, 浿水縣之浿, 當爲大同江. 漢旣以秦塞爲遠, 退修[62]遼東故塞, 以浿水爲界. 故衛滿逃出塞渡浿水, 涉何渡浿水馳入塞. 然則其在遼東無疑. 以荀[63]彘出兵時事推之, 鮮兵必不能渡浿水入漢[64]塞, 而乃云浿水西軍則浿西似是鮮地. 彘破浿上軍進至城下, 則自浿至平壤似[65]不甚[66]遠. 然則當爲今鴨綠江或淸川江. 以通鑑胡注及唐書推之, 則又當爲今大同江. 以百濟始祖定疆域推之, 則[67]百濟之境出入於今楊廣[68]之間, 又當爲今臨津或漢江.《麗史》則又指爲猪灘. 其不可指的一水如此. 昔見一書云: ‘朝鮮之水皆稱浿, 猶中北方之水稱河, 南方之水稱江.’” 余未知藥泉所見果出何書, 而其言儘確然. 曰江曰河猶是水之統名耳. 按沈括《筆談》云: “水以漳名洛名者最多. 趙晉之間有淸漳、濁漳, 當陽有漳水, 灨上有漳江, 漳州有漳浦, 亳州有漳水, 安州有漳水. 洛中有洛水, 北地郡有洛水, 沙縣有洛水.” 浿水之各地同名, 亦猶漳洛之異同稱也.

---

61 [校勘] 前 : 저본에는 ‘進’으로 되어 있는데, 《약천집(藥泉集)》 권29 〈동사변증(東史辨證)、패수(浿水)〉에 근거하여 바로잡았다.

62 [校勘] 修 : 저본에는 ‘守’로 되어 있는데, 《약천집》 권29 〈동사변증、패수〉에 근거하여 바로잡았다.

63 [校勘] 荀 : 저본에는 없는데, 《약천집》 권29 〈동사변증、패수〉에 근거하여 보충하였다.

64 [校勘] 漢 : 저본에는 없는데, 《약천집》 권29 〈동사변증、패수〉에 근거하여 보충하였다.

65 [校勘] 似 : 저본에는 없는데, 《약천집》 권29 〈동사변증、패수〉에 근거하여 보충하였다

66 [校勘] 甚 : 《약천집》 권29 〈동사변증、패수〉에는 ‘遙’로 되어 있다.

67 [校勘] 又當……之則 : 저본에는 없는데, 의미가 통하지 않아 《약천집》 권29 〈동사변증、패수〉에 근거하여 보충하였다.

68 [校勘] 廣 : 저본에는 ‘黃’으로 되어 있는데, 《약천집》 권29 〈동사변증、패수〉에 근거하여 바로잡았다.

西漢職方[69]

西漢職方, 東西九千三百餘里, 南北萬三千三百六十餘里. 林氏云: "漢山川不出《禹貢》分域, 而里數倍加者, 古今尺步不同." 此不考之論也. 漢仍用周尺, 亦不曾改步法. 吳氏云: "南北萬三千餘里, 擧朔方日南而言." 此說是矣.

《方輿記要》言黑水之誤

嘗見《魏冰叔集》, 有顧祖禹〈方輿記要序〉, 盛稱其數千百年所絶無而僅有之書. 及作〈顧柔謙墓誌〉又復言: "其子祖禹博學善著書, 所著《方輿記要》, 爲古今絶無而僅有之書." 其心服推奬至矣. 意謂其書必多可觀, 但未知已未鋟行. 近看李調元《羅江縣志》, 間有引《方輿記要》之文, 此書似已鋟版行于世矣. 但李於黑水一段, 辨證《方輿記要》訛誤, 鑿鑿有據, 仍斥其全書荒謬無徵. 益知著書之未易免後世雌黃也. 今載其全文于後.

"按古今地輿諸書, 惟本朝顧氏《讀史方輿記要》, 最爲荒謬無徵. 如引黑水在羅江西北, 自安縣南流入, 下流會於漢州之綿水, 而以五代時董璋破西川兵事爲證. 不知綿水與雒水竝趨而下合爲渝水, 卽巴水也. 何曾回到漢州, 再往下流? 又不知漢州何據飛來黑水. 此非大謬乎? 夫〈禹貢〉所謂 '華陽、黑水, 惟梁州.' 所包甚大. 以在華山之陽, 華山屬雍州, 古者封域合梁於雍是也. 黑水出漳臘、潘州界. 今屬夷地, 是爲

---

69 [校勘] 職方 : 저본에는 '職分'으로 되어 있는데, 문맥상 '職方'의 오기로 판단하여 수정하였다.

岷江之始. 水自汶山下過, 猶河水之達崑崙. 又一派入滇, 而出金沙江流入馬湖江, 與汶水合. 今之敍、瀘界, 瀘卽黑也. 諸葛亮所云: '五月渡瀘.' 卽此也. 所謂四川者, 卽岷、瀘、雒、巴四水也. 岷水自綿州而下, 瀘水自雅州而下, 雒水自漢州而下, 巴水自重慶而下. 是黑水與四水, 久已各入四支, 趨入于海矣, 安得在羅江小邑之間, 尙徘徊來往穿揷哉? 顧氏又引'疊溪營城西北有黑水.' 卽古翼水. 源出梁州、生番東, 亦南由茂至安入羅. 蓋見水黑, 卽稱黑水, 皆黑水之小者也. 水黑約有四[70]. 一《漢志》, 符縣有水出犍爲南廣縣汾[71]關山北入江, 此符縣黑水也. 又黑水出漢中南鄭縣北山, 諸葛亮牋云: '朝發南鄭, 暮宿黑水.' 此南鄭黑水也. 三黑水出羌中南,《通典》'扶州尙安縣有黑水.' 此尙安黑水也. 四崇慶州西北有黑水,《元一統志》云: '源出常樂山, 石皆黑.' 此崇慶黑水也. 皆非梁州黑水.《行水金鑑》韓汝節謂: '梁州別自有黑水, 從夷地分流.' 千古卓識, 而顧氏區區指其一爲黑水誤矣."

平壤地形

平壤城內無井, 居人皆汲大同江水以飮. 世言: "平壤地勢, 如行舟形. 舟有罅穴, 則水漏船沈, 故忌之." 此形家悠謬之說也. 李調元《南越筆記》云: "惠州城中無井, 民皆汲東江以飮. 堪輿家謂: '惠稱鵝城, 乃飛鵝之地, 不可穿井以傷鵝背.' 致人民不安." 太史公所謂'形家多忌者.' 何地不然?

---

70 [校勘] 四 : 저본에는 '回'로 되어 있는데, 문맥에 따라 수정하였다.

71 [校勘] 汾 : 저본에는 '符'로 되어 있는데,《한서(漢書)》 권28 〈지리지(地理志)〉에 근거하여 바로잡았다.

乇羅

沈括《夢溪筆談》云: "嘉祐中, 蘇州崑山縣海上[72], 有一船桅折, 風飄抵岸. 船中有三十餘人, 衣冠如唐人, 繫紅鞓角帶短皂布衫. 見人, 皆慟哭, 語言不可曉. 試令書字, 字亦不可讀. 行卽相綴如雁行. 久之自出一書示人, 乃唐天祐中告授乇羅島首領陪戎副尉制. 又有一書, 乃是上高麗表, 亦稱乇羅島. 皆用漢字, 蓋東夷之臣屬高麗者. 船中有諸穀, 惟麻子大如蓮的. 蘇人鍾之, 初歲亦如蓮的, 次年漸小, 數年後, 只如中國麻子." 按: 乇羅島卽今耽羅. 但今耽羅無麻子如許大耳.

練光亭扁

平壤練光亭扁曰 '第一江山'. 一字之徑, 可四尺許, 甚有神勢, 獨 '江' 字視他字, 頗遜劣. 世傳明朱之蕃筆, 後脫 '江' 字, 尹判書淳自書 '江' 字以補之, 亦無明驗. 遇閱陳懋仁《泉南雜誌》稱: "東嶽行宮坊, 扁曰 '萬山第一', 是米元章書 '第一山' 刻妙覺巖下者[73], 相傳一羽士臨出, 自書 '萬' 字足之." 意尹亦得妙覺巖榻本, 而自書 '江' 字足之也.

練光亭扁 '第一江山' 四字, 世傳明朱之蕃筆, 而尹白下書江字補之. 余據陳懋仁《泉南雜誌》謂: "'第一山' 三字, 本妙覺巖[74]刻, 米元章筆." 後見李匡師《圓嶠筆訣》, 亦謂米書. 今考孫承澤《閑者軒帖考》云: "'第一山'三字, 本吳琚筆, 世或謂米老書者非也." 未知何所據也.

---

72 [校勘] 海上 : 저본에는 '上海'로 되어 있는데, 《몽계필담(夢溪筆談)》 권24에 근거하여 바로잡았다.

73 [校勘] 者 : 저본에는 없는데, 《천남잡지(泉南雜誌)》 권 하(卷下)에 근거하여 보충하였다.

74 [校勘] 巖 : 원문에는 '庵'으로 되어 있는데, 문맥에 따라 수정하였다.

四堅

往在己巳春, 余在維揚, 與隣友崔仲受, 往見安峽四堅. 見臨江小麓上有老槐, 土人呼爲栗翁亭, 謂卽栗谷先生杖屨所及云. 未知先生緣何事到此. 近見《栗谷全書》, 有〈與宋雲長書〉云: "安峽溪山誠可愛翫, 田土亦肥, 可以考槃. 兄若卜居, 則珥亦築數間屋子, 以爲相從之所." 始知先生果有卜築四堅之意, 當於是時, 躬往胥宇也.

狎鷗亭

韓上黨明澮新構亭榭於楊花津北, 奉使赴燕, 請名於倪學士謙. 謙錫以狎鷗, 一時文士爭賦詩以贈, 狎鷗之名聞於天下. 今人指豆浦南岸有亭扁 '狎鷗' 者, 謂即韓上黨之舊者誤也. 據金乖崖記, "王都南去五里, 楊花之北、麻浦之西, 有一邱, 穹窿爽塏, 環以漣漪, 俗呼火島. 上黨府院君韓公作亭其上, 以爲遊衍之地." 云. 其地不出都城五部之內, 初非越江在廣州之地. 今在豆浦越邊廣州地者, 未知誰某所構, 而亭名狎鷗, 豈偶同耶? 抑蹈襲耶? 地志或謂韓亭在廣州地者, 不考之過也.

翫鷗亭

《翫鷗亭記》云: "使吾心有以勝物, 則李廣之石, 可使爲虎; 使吾心爲物所勝, 則樂令之弓, 亦能爲蛇. 苟吾心如木石, 則鷗莫得而窺矣, 何爲不可翫哉?" 案此見楊愼《丹鉛雜錄》, 而不言作記人姓名, 亦不知爲何人亭榭. 我東漢江狎鷗亭爲上黨府院君韓明澮別業, 狎鷗之義與翫鷗無異, 而但 "心如木石" 云云, 不可用之於狎鷗亭耳.

余嘗據金乖崖〈狎鷗亭記〉, 証韓上黨狎鷗之亭在楊花渡此邊火島之上, 而今豆毛浦越邊所在狎鷗亭非韓舊基, 未知誰所構也. 今考沈守慶《遣閑雜錄》云: "狎鷗亭在楮子島西數里, 故相韓明澮別業亦以勝名."[75] 豈韓亭本在火島, 而後復移建于楮子島西耶? 未可知也.

煎鐵

方德遠《金陵記》云: "程皓以鐵床熷肉, 肥膏見火則油燄淋漓. 皓戲言曰: '羔羊揮淚矣.'" 鐵床之制不可詳, 豈如今之煎鐵耶? 今人用熟鐵作炙肉之器, 形如仰笠. 細切菁芹桔梗之屬, 浸醬汁貯於中央坎陷處, 置之炭火上. 令鐵烘熱, 削肉如紙, 浸以油醬, 用箸夾之, 熷炙於四圍平面而食之, 略可供三四人. 俗呼爲煎鐵. 其制來自日本, 今遍國中, 但未聞中州有此食品也.

寒具

寒具之爲今饊子, 無疑矣. 朱子注《楚辭》"粔籹蜜餌" 曰: "寒具是也." 許愼《說文》曰: "粔籹膏環." 賈思勰《齊民要術》曰: "粔籹, 名環餅, 《廣雅》謂之粰, 今通名饊子."《劉賓客嘉話錄》曰: "寒具捻頭." 觀此數說, 則寒具也, 粔籹也, 膏環也, 環餅也, 粰也, 捻頭也, 饊子也, 皆

75 [校勘] 明澮別業亦以勝名 : 저본에는 '訛傳之理'로 되어 있는데, 《유한잡록(遣閑雜錄)》에 근거하여 바로잡았다.

一物而異名者. 論其制法, 則《楚辭注》曰: “以米麪煎熬作之.” 林洪《山家淸供》曰: “以糯粉和麵, 油煎, 沃以糖食之.” 與今饊子制法同. 論其形制, 則賈氏云象環釧形, 今蓼花饊子似之. 李時珍《本草綱目》云: “糯粉和麪, 牽索紐捻成環釧之形.” 今之搓手【饊子中一種牽索紐纏而成者, 我東方言呼爲搓手.】似之. 論其名義, 則饊者, 散也, 謂嚼之易消散也, 而賈氏謂寒具入口即碎. 凡餌果之可貯久不敗者, 莫如饊子. 而寒具之得名, 正爲久留不敗, 可備禁煙時用. 即饊子之爲寒具也, 審矣. 而林洪獨據杜甫〈十月一日〉詩 “粔籹作人情”之句, 謂《楚辭》二句自是三品, 粔粧乃十月開爐餅, 蜜餌乃蜜麵, 餦餭乃寒具. 則誤矣. 寒具自是冬春間尋常食品, 況詩人稱物之辭, 何可如是典要? 苟謂粔籹必爲十月之節物, 餦餭必爲禁煙時時食, 則《楚辭》之祀神, 何爲竝舉二物於一時耶? 且考之字書, 餦餭即爲餹, 餳之一名, 非寒具之謂也.

蓼花

今俗用糯米粉起膠, 作指大條, 長可數三寸, 油煎作飣. 糝以紅白糍飯, 形如方發蓼花, 呼爲蓼花饊子. 其來最古. 宋周密《浩然齋雅談》云: “俗以油餳綴糝作餌, 名之曰蓼花, 取其形似也.” 放翁詩: “新煠餳枝綴紅糝.” 即指紅蓼花也.

上元藥飯

《東京雜記》: “新羅炤智王十年正月十五日, 幸天柱寺, 有飛鳥警告於王, 射殺謀逆僧. 國俗以上元作糯米飯祠烏報賽." 李晬光《芝峰類說》, 亦謂我國藥飯始自新羅. 果爾, 則我東士大夫家之以之祀先, 未免爲不經之食矣. 案韋巨源《食譜》, 附張手美家節食之名, 而上元油飯號爲油畫明珠. 油飯之制, 雖不可詳, 而蓋用麻油蒸飯, 色如明珠, 要即我東藥飯之類耳. 謂藥飯始自新羅者, 未知其信然也.

上工日

中州舊俗以二月初二日爲上工日. 蓋田家雇傭工之人, 此日爲上執役之始, 故名上工. 猶我東之奴婢日, 特後一日耳. 按唐書〈李泌傳〉: "二月朔, 里閭釀宜春酒, 以祭句芒神, 祈豐年." 又〈德宗紀〉: "中和節日令百官進農書, 獻穜稑之種." 中和節祈豊自唐, 然矣.

燈夕

《高麗史》云: "國俗以四月八日, 是釋迦生日, 家家燃[76]燈." 今燈夕點燈, 蓋沿高麗俗也. 然考《乾淳歲時記》云: "四月八爲佛誕日, 諸寺院各有浴佛會."《遼史、禮志》云: "二月八日爲悉達太子生辰, 京府及諸州, 雕木爲像, 儀仗百戲導從, 循城爲樂." 是宋以四月八爲佛誕日; 遼以二月八爲佛誕日也. 據《普耀經》, "佛以周昭王二十四年甲寅歲四月八日." 周之四月, 卽夏正二月, 則當以二月八日爲是. 高麗地近契丹, 事多循襲, 而此獨遵用乾淳之俗, 何耶?

---

76 [校勘] 燃 : 저본에는 '然'으로 되어 있는데, 《고려사(高麗史)》 권69 〈지(志) 23〉에 근거하여 바로잡았다.

《宋史、外國傳》〈高麗〉:“二月十五日, 僧俗燃燈, 如中國上元節.” 今考《高麗史》云: “王宮國都, 以及鄕邑, 以[77]正月望燃燈二夜.” “崔怡於四月八日燃燈.” 豈三韓時用二月望燃燈, 至高麗, 倣中國上元燃燈, 至崔怡移在四月佛辰耶? 大抵華人紀東國故蹟, 不論新羅百濟高句麗高麗, 率皆稱高麗也.

重明鳥【重明鳥一名雙睛, 言雙睛在目.】

今人每於歲首, 貼畵雄雞於門壁, 謂之辟禳. 或謂: “一日雞, 故肖其形.” 或謂: “晉人歲朝設葦茭、桃梗、磔雞於宮及百寺之門, 以禳惡氣, 後人畵雞以代之.” 皆非也. 所畵者, 非雞, 乃重明鳥也. 按《拾遺記》:“帝堯在位, 有秖支[78]之國, 獻重明鳥, 一名重精. 狀如雞, 鳴似鳳, 能撲[79]逐猛獸虎狼, 使妖災群惡, 不能爲害. 國人掃灑門戶, 以望重明之集, 或刻木鑄金, 爲此鳥之狀, 置於門戶之間, 則魑魅醜類自然退伏. 今人歲首元日, 或刻木鑄金, 或圖畵, 爲雞於牖上, 此之遺像也.”

傳坐[80]

《南部新書》:“長安風俗, 元日以後, 遞飮食相邀, 號傳座.” 今俗, 元朝

---

77 [校勘] 以 : 저본에는 없는데, 《고려사(高麗史)》 권69 〈지(志) 23〉에 근거하여 보충하였다.
78 [校勘] 支 : 저본에는 ‘文’으로 되어 있는데, 《습유기(拾遺記)》 권1에 근거하여 바로잡았다.
79 [校勘] 撲 : 《습유기(拾遺記)》 권1에는 ‘搏’으로 되어 있다.
80 [校勘] 傳坐 : 저본에는 ‘坐’로 되어 있는데, 《남부신서》 및 대부분의 책에는 ‘座’로 되어 있다. 《한어대사전》 의 ‘傳座’ 풀이에 “‘좌’는 《법원주림(法苑珠林)》 권92와 《태평광기(太平廣記)》 권134에서는 ‘坐’로 되어 있다.” 라고 하였다. [座, 《法苑珠林》 卷九二、《太平廣記》 卷一三四引作坐.]

以後, 凡有拜年之客, 必設湯餠酒饌待之, 謂之 '歲饌'. 鄕井閭里之間, 其禮尤嚴, 遞相傚傚, 莫之或闕, 亦傳坐之遺風也.

流觴曲水

流觴曲水, 束晳[81]據逸詩'羽觴隨波'之文, 謂: "始於周公營洛邑時." 未知其信然也. 自晉人蘭亭之禊飮, 遂爲上巳節物, 然考柳子厚 〈序飮〉, 則又不專於上巳矣.

81 [校勘] 束晳 : 저본에는 '束晢'로 되어 있는데, '束晳'의 이름에 근거하여 바로잡았다.

금화경독기

金華耕讀記

권 5

斜玉刻

仲父明皐公宰成川時, 有一農戶獻玉一小片云: "得之紇骨城田間." 方可寸許. 前刻雲物塔橋, 極精巧. 後刻一詩曰: "綠莎白石滿河洲, 渺渺平沙帶淺流. 紅樹青山無路入, 行春橋畔覓漁舟." 下刻小章曰子剛, 未知其何代人作也.

文三橋、何雪漁鐵筆

姜紹書《韻石齋[1]筆談》稱: "我明鐵筆之妙莫過于文三橋彭、何雪漁震. 三橋如漢廷老吏, 字挾風霜; 雪漁如絳雲在霄, 卷舒自如." 其所推詡者, 亦至矣. 往年, 李生某隨節使赴燕, 得交翰林院編修陳崇本, 見贈圖章二方. 其一文曰: "鑿井畊田, 歌詠太平之樂." 側而刻'三橋文彭寫'五字. 其一文曰: "一江秋月." 側而刻'雪漁何震寫'五字. 後文刻歸于余, 何刻歸于叔父明皐公, 有時閱, 益信姜說之爲鐵評. 近見閻若璩《潛邱箚記》云: "近代圖章, 力駁何雪漁而返文三橋, 書刻, 力駁董文敏而歸趙松雪." 亦回澆返樸之一助也.

蛺蝶圖

唐滕王, 高祖子, 工畫, 尤於工蛺蝶. 王建〈宮詞〉云: "內中數日無呼喚, 傳得滕王蛺蝶圖." 是也. 今李生命基, 以傳神名, 亦工畫蛺蝶. 每

---

1 [校勘] 齋 : 저본에는 '齊'로 되어 있는데, 문맥에 따라 수정하였다.

暮春, 捕得大翅彩蝶, 夾在書卷中, 數十日出之, 則薄如紙, 睨而摸之, 遂能酷肖. 見之者, 未嘗不疑其蝶粉粘手也.

百子圖

今新婚婦女之房, 必置彩畵屛, 畵群兒遊戲之狀, 呼爲百子圖, 所以祈祝其多子也. 高士奇《天祿識餘》云: "唐宋禁中大婚, 以錦繡織成百小兒嬉戲狀, 名百子帳." 非獨我東爲然也.

火炎積雪圖

劉褒[2], 漢靈帝時人. 作北風圖, 見者覺凉, 作雲漢圖, 見者覺熱. 我東姜豹菴作二幀, 一畵漫山火炎, 曰辟寒, 一畵層崖積雪, 曰辟暑, 蓋亦師劉之故智也.

禊帖

禊帖爲千古法書之冠, 而論者最多岐. 何延之〈記〉與劉鍊[3]《傳記》, 不同. 何謂: "王氏子孫傳掌, 至七代孫智永, 永付弟子辯才." 劉謂: "梁亂, 出在外, 陳天嘉中, 爲永所得, 太建中, 獻之. 隋平陳, 或以獻晉王, 僧智果[4]借搨, 因不還. 果死, 弟子辯才得之." 何謂: "太宗使蕭翼

---

2 [校勘] 褒 : 저본에는 '袞'으로 되어 있는데, 《박물지(博物志)》에 근거하여 수정하였다.

3 [校勘] 鍊 : 저본에는 '餗'로 되어 있는데, '鍊'의 오자로 판단하여 수정하였다.

4 [校勘] 果 : 저본에는 '梁'으로 되어 있는데, 《수당가화(隋唐嘉話)》에 근거하여 수정하였다.

賺取.” 劉謂: “使歐陽詢就越州求得之.” 據何說, 太宗得蘭亭, 在卽位後; 據劉說, 以武德二年, 入秦王府. 據何說, 太宗末年, 遺命旬葬; 據劉說, 高宗從褚遂良之奏. 何、劉皆當代人, 而乃如是逕庭, 何耶? 延之自云: “親得之辯才弟子楊元素.” 且云: “開元十年四月二十七日, 使子永寫本以進, 蒙賜絹三十匹.” 則是當時進御之文, 不應有傳聞不實之語. 又傳朋翼[5]跋 〈蕭翼賺蘭亭故事圖〉 云: “唐右丞相閻立本筆. 一書生狀者, 西臺御史蕭翼也; 一老僧狀者, 會稽比丘辯才也. 書生, 意氣揚揚, 有自得之色; 老僧, 口張不呿, 有失志之態. 執事二人, 噓氣止沸, 其狀如生.” 鈐以集賢院圖書印. 閻亦當時人, 使當時苟無其事, 何得粧虛幻[6], 無輒形之圖繪? 然則延之之記, 自是實錄, 而或以劉餗父子之世爲史官, 謂其言可信, 則誤矣. 夫以太宗之蓋世英睿, 乃溺放嗜好. 生以譎取, 不厭駔儈睒眒之習, 死以愛殉, 自取多藏厚葬之譏. 劉之遷就隱護, 猶之得春秋爲魯諱之義, 未出紀事之誤也. 若其臨榻人姓名, 又言言殊. 何延之以爲 “供[7]奉人趙模、韓道政、馮承素、諸葛貞[8], 各[9]榻數本[10].” 高似孫以爲 “湯普徹、趙模、韓道政、馮承素榻本, 皆不如永禪師、褚河南所臨.” 《南部新書》 以爲 “蘭亭帖旣入秦府, 麻道嵩奉敎榻兩本, 一送辯才, 一秦王自收. 嵩私榻一本.” 或謂: “虞、褚、歐陽[11], 皆有臨摹, 而褚遂良摹者, 稍肥爲黃[12]絹本, 歐陽詢摹者, 秒瘦

5 [校勘] 翼 : 연자(衍字)인 듯하다.

6 [校勘] 幻 : 저본에는 '幼'로 되어 있는데, 문맥에 따라 수정하였다.

7 [校勘] 供 : 저본에는 '借'로 되어 있는데, '借奉人'은 '供奉榻書人'을 가리키는 말이므로 '供'으로 수정하였다.

8 [校勘] 貞 : 저본에는 '員'으로 되어 있는데, 〈난정기〉에 근거하여 수정하였다.

9 [校勘] 各 : 저본에는 '如'로 되어 있는데, 〈난정기〉에 근거하여 수정하였다.

10 〈난정기〉에는 "帝命供奉拓書人趙模 、韓道政 、馮承素 、諸葛貞等四人, 各拓數本, 以賜皇太子, 諸王近臣."으로 되어 있다. 약간의 문자출입이 있다.

爲定武本." 或謂: "貞觀中, 摹賜功臣時, 楮河南在定武, 自撫於石, 則定武本, 卽楮筆也." 或謂: "定武本, 位置近類歐陽詢, 疑詢筆也." 或謂: "歐書, 寒峭一律, 豈能如定武本之八面變化? 定武, 自是眞蹟摹出." 或謂: "明皇時, 摹刻智永本于玉石, 卽定武本." 各據聞見, 有此參商. 余謂: "太宗, 喜得眞蹟, 榻賜皇太子、諸王、近臣, 是時供奉, 固非一人. 虞、楮、歐陽, 又皆以近侍受賜, 其競相臨摹, 亦其固然. 後之鑒賞家, 只當具一隻慧眼, 以觀其孰得孰失耳, 其臨榻之出於誰某, 不須問也." 定武本之爲禊帖嫡嗣, 其來已久矣. 世皆以薛嗣伯携歸者, 爲定武古刻. 然亦有可疑者. 榮芑、何薳(春[13]), 皆謂: "眞蹟石刻, 本在學士院, 至朱梁簒竊, 輦致汴京. 契丹破[14]石晉, 取以渡河, 棄之殺虎林. 宋慶曆中, 宋祁帥定武, 得此石, 留於公庫. 煕寧中, 薛向來帥, 其子紹彭, 刻贋本留郡, 易舊刻歸長安. 大觀中, 取其石, 置宣和殿." 諸家所言, 定武本來歷, 皆本於此. 然, 考蔡絛之言云: "定武本, 乃江左所傳晉會稽石也. 自晉至錢氏末天下旣一統, 而定武在富民之家. 好事者, 厚以金幣, 從會稽取之, 而藏於家, 及後戶絶, 貲沒縣官人始見之, 因置諸定帥之便坐壁間. 煕寧中, 孫公帥定, 有旨, 納其石禁中, 別刻石而還之壁. 元豐後, 薛向來定, 遂取其石以歸, 世但謂石歸薛氏, 然不知雅非古矣. 大觀初, 詔索諸向[15]方則無有, 乃更取薛氏石, 入御

---

11 [校勘] 陽 : 저본에는 '陸'으로 되어 있는데, 당시에 우세남, 저수량, 구양순과 함께 〈난정서〉를 임모했을 법한 서법가로 육씨는 찾아보기 어려우며, 본문의 "虞楮歐陽, 又皆以近侍受賜, 其競相臨摹."에 근거하여 수정하였다.

12 [校勘] 黃 : 저본에는 '唐'으로 되어 있는데, '黃' 자의 오기로 판단하여 수정하였다.

13 [校勘] 春 : 하원의 《춘저기문(春渚記聞)》을 말하려 한 것 같으나, 서명을 전체로 들지 않았으므로 잘못 들어간 글자로 보인다.

14 [校勘] 破 : 저본에는 '波'로 되어 있는데, 문맥에 따라 수정하였다.

15 [校勘] 向 : 저본에는 '尙'으로 되어 있는데, 《蘭亭考》 卷3에 근거하여 수정하였다.

府.” 絛, 卽蔡京之子, 君模之侄, 凞寧大觀間事, 必知之最詳, 而其言與諸家大異, 此其可疑者, 一也. 說者謂: “薛旣易古刻以歸, 劖損 湍、流、帶、右、天五字, 以惑人.” 自是論眞贋者, 遂以五字缺損, 爲眞本之證. 余謂: “薛旣愛賞此石, 潛易以去, 則護之當如珙璧, 惟恐或損其絲毫, 寧肯故殘字畫, 其所謂惑人者, 尤可笑. 苟欲人則所斲損者, 當在新刻石, 而不在舊石矣.” 嘗見畢少董跋云: “兒時, 從祖秘監君官定武, 見蘭亭古刻, 在州治東園射圃之東, 葵亭西壁. 第五行 ‘帶’字, ‘石’字, 第八行 ‘天’字字畫, 已闕壞, 石靑色. 大觀己丑, 趨[16]王彦昭, 至定武, 見石, 與舊所見, 無異. 但白石, 非靑石.” 蓋其初見之靑石, 卽舊刻也, 再見之白石, 卽新刻也. 董是當日目擊之人, 其說可證. 新舊刻之俱有缺損, 執此以別眞贋, 何異癡人說夢? 此可疑者, 二也. 論者謂: “楮庭悔所臨, 恨太肥, 張景先闕石本, 又恨太瘦.” 至黃山谷稱定武 “肥不剩肉, 瘦不露骨”, 而士大夫, 靡然和之. 然, 世所傳定武本, 又自有肥瘦之別, 尤延之謂: “瘦者, 爲眞定武.” 王順伯謂: “肥者, 爲眞定武.” 二公, 皆號博雅, 而其不同如此, 將孰使之折衷哉? 余謂瘦[17]肥, 各隨好尙, 喜肥者, 惟恐其或瘦, 喜瘦者, 惟恐其或肥. 以是而求定武眞贋, 何異以肥瘠而論飛燕合德之優劣也? 此其可疑者 , 三也. 陸務觀之言曰: “觀蘭亭, 當如禪宗辨勘, 入門便可. 若待渠張口, 堪作什麼? 識者, 一開卷, 已見精麄. 或者, 推[18]求點畫, 參以耳鑑, 瞞俗人則可, 但恐王內史不肯耳.” 此說, 最得鑑賞家三昧矣.

---

16 [校勘] 趨 : 저본에는 ‘趙’로 되어 있는데, 문맥에 따라 수정하였다.

17 [校勘] 謂瘦 : 저본에는 ‘謂謂瘦瘦’로 되어 있는데, ‘謂瘦’ 두 글자를 연자(衍字)로 판단하여 삭제하였다.

18 [校勘] 推 : 저본에는 ‘惟’로 되어 있는데, 《渭南文集》 卷29 〈跋蘭亭序〉에 근거하여 수정하였다.

朱之蕃筆

有言坡州細柳店之北, 有石當官道, 刻叢石二字, 朱詔使之蕃筆云. 余屢過探覓, 而終不得之.

儲書

鄭漁仲求書八道. 一曰卽類以求, 二曰旁類以求, 三曰因地以求, 四曰因家以求, 五曰求之公, 六曰求之私, 七曰因人以求, 八曰因代以求. 論者謂之典籍中經濟, 然此特中國人求書之法耳. 若生在海外偏邦, 見聞不接於中華, 而乃欲因地因家因公因私, 何異坐井而步天? 余倣其意, 而稍通變之, 以爲東人求書之道, 歷擧之有八. 一曰比類以求, 二曰對待以求, 三曰因略求備, 四曰擧一反三, 五曰求之以世代, 六曰求之以門戶, 七曰求之於書目, 八曰求之於題跋. 凡原藏書數千卷以上, 先須以自己橱笥所收, 區別門類以觀之. 假如《易》之類十而《書》之類一, 則急購《書》解諸家而足之,《禮》之類十而《樂》之類二, 則急購律呂諸編而補之. 推類比挈, 四部略備, 是之謂比類以求. 王註鄭箋, 易學之對待也; 毛序鄭說, 詩學之對待也. 永嘉之事功與婺閩之義理相對, 姚江之良知與泰和之居敬相對. 苟儲此邊之書, 必兼收彼邊之作, 參互較絜, 從違始判. 是之謂對待以求. 歐陽氏《五代史》, 紀十國事頗略, 則吳任臣之《十國春秋》, 可亟購也. 宋景文《唐書》, 紀貢擧之制缺略, 則王定保之《唐摭言》, 宜急收也. 俞安期《唐類函》, 不載唐以後事, 必購淵鑑齋之《類函》而後, 類事之書始備. 陰時夫《韻府群玉》, 掛一漏萬, 必購佩文齋之《韻府》而後, 隸韻之體始備. 是之謂因略而求備. 班固之《漢書》、荀悅之《漢紀》、袁宏之《後漢紀》, 古稱三史, 杜佑之《通典》、鄭樵之《通志》、馬端臨之《通考》, 世號三通. 儲其二, 闕其一, 何異鼎足欽一也. 他如詞垣諸家, 三孔分鼎於北宋, 四洪聯珠於南渡, 虞楊范揭爲元代四家, 高張徐楊爲明初四傑, 南園先生厥數滿五, 閩中才子屈指有十. 儲其一, 必求其二, 得其三, 更求其一, 期盡滿其數而止. 是之謂擧一而反三.《紀事本末》斷自威烈, 則邃古三代之事闕焉, 須取馬驌《繹史》以補之.《通鑑長編》訖于北宋, 則南渡以後之事闕焉, 須取李心傳《繫年要錄》, 失名氏《兩朝備要》、《三朝政要》以續之. 至於詩文選集, 苟儲馮惟訥《詩紀》, 以觀漢魏六朝前比興, 則沿而下之,《全唐詩》、《宋詩鈔》、《元詩選》、《明詩綜》, 不可闕其一也. 苟儲黃宗羲《明文海》, 以觀洪宣隆萬之間體裁, 則溯而上之,《元文類》、《宋文鑑》、《唐文粹》、《昭明選》、《皇覇文紀》, 不可缺其一也. 是之謂求之以世代. 道術分裂, 墠坦各闢. 紫陽之道統, 自勉齋北溪, 下逮呂陸諸人, 其受授之源流可按也. 金[19]谿之學的, 自慈湖絜齋, 下逮湛劉諸家, 其傳法之端委可尋也. 他如治詞藝者, 江西演宗派之圖, 而桂名者總二十五人, 北地樹說法之幢, 而傳燈者有七子後七子末七子. 馬三揚主盟舘閣, 而殿後者長沙也, 公安別開仄經, 而方駕者竟陵也. 購書之家, 必先有以審其派, 別辨其本末, 然後庶不至操無星之稱, 入百寶之肆. 是之謂求之以門戶.《七略》尙矣, 卽論晁公武陳振孫之所著錄, 其書之昔有今無者, 什居五六. 按目錄而求書, 不殆類於終日枵腹坐閱食帳, 津津說醍醐熊燔也乎. 余所云者, 指近世著錄之書耳. 如《四庫全書總目》, 卽乾隆辛丑壬寅年間, 纂進者也,《浙江

19 [校勘] 金 : 저본에는 "全"으로 되어 있는데,《陸九淵集》 卷33 〈象山先生行狀〉에 근거하여 수정하였다.

書錄》亦乾隆中詔求遺書時, 編進於四庫全書館者也. 二書距今不過三四十年. 乾隆初命纂《天錄琳琅書目》、黃虞稷《千頃堂書目》, 亦皆近代編纂, 據此數種以考其存佚, 雖不中, 不遠. 故曰求之於書目. 毛晉《津逮秘書》, 抄撮南北宋諸名家集中書籍題跋, 附於末, 蓋欲令考見, 古書傳刻源流也. 毛以傳書名天下, 饒有書卷上鑑識, 故其用意深摯如此. 然宋槧之至今存者稀如晨星, 則宋人題跋, 在今日已作筌蹄矣. 余欲取近代文集, 如李榕村、朱竹垞、王阮亭、紀曉嵐諸家採錄各種書籍序引題跋, 備著其存佚, 及刻在何地, 傳在何處, 以補書目之所未詳, 夫然後曹溶所謂夜行之燭、探寶之珠, 始可以擬議矣. 故曰求之於題跋. 以此八道參伍引伸, 而儲書之宏綱大目具矣.

曹溶購書三術. 一曰: '眼界欲寬.' 二曰: '精神欲注.' 三曰: '心思欲巧.' 其眼界欲寬之說曰: '世之治學業者, 但知有八比四股, 不肯旁覽他書. 即或有竊窺目前書一二種, 便自命博雅, 沾沾自喜, 不知曠然宇宙, 自有大觀. 縉紳前輩, 聚書動逾三四萬卷, 何可以鬚眉男子, 自同三家村擔板漢也?' 其精神欲注之說曰: '人非豪傑, 不能無嗜好, 宜移一切嗜好, 注于嗜書. 如阮之屐·嵇之鍛·劉伶之飮. 如此則物聚於所好, 奇書秘本, 多從精神注向者得之.' 其心思欲巧之說曰: '古書雖佚, 而後人著述多引之者, 凡正文之所引用, 註解之所證據, 有涉前代之書, 而今失其傳者, 即從其書錄出, 敍次裒輯, 擧馬之一體, 而馬未嘗不立于前.' 其言善矣. 余又演其意, 而增二爲五. 其一曰: "割捨勿果." 其二曰: "定力特久." 何謂割捨勿果? 明季以降, 著作日繁, 餖飣剿襲, 榛楛迷茫. 其能爲鑒賞家枕中鴻寶者, 蓋謬乎不易遘矣. 然就其中, 往往有尺朽寸全者焉, 有千慮一得者焉, 又或有收載古書, 爲他書所未載者. 如坊刻《四書章圖》大成, 義例蕪雜, 莫可尋繹, 爲經義家所厭薄. 殊不知倪士毅《四書輯釋》, 傳世絶穿, 雖以浙江之爲書籍府庫, 亦佚子罕以下三篇, 獨此書分載全文, 另從綴輯, 可還舊觀. 又如張伯行訂正宋元儒林集, 刪削無法, 訛舛百出, 爲談藝家所束閣. 獨不知曹端《月川集》, 舊已失傳, 惟張氏, 是編綴拾成卷, 爲他書所未有. 又如《永嘉八面鋒》、《錦繡萬化谷》、《群書會元截江綱》等書, 皆南宋坊肆刻本, 所以備程試漁獵之用者也. 鑒賞之家, 過而不睨, 然其中, 往往有宋代軼事軼文, 可資考據者, 若此之類, 只當俱收竝畜, 不宜槩從捨棄, 苟其不然, 汰沙之過, 眞金莫揀. 故曰: "割捨勿果." 何謂定力特久? 東人之購求華本, 只有燕柵一路, 不得不寄其權衡于象譯, 而象譯之所從而求訪, 又不越乎坊肆與筆帖式耳. 海內通行之本, 固可刼車而載, 至於蜀刻浙箋, 稀種秘袠, 何從而得之? 況留館有限, 耳目未周, 或重直購來, 原已揷架, 或列目諉諈, 還言無有, 遂令意與索然, 願欲沮敗, 而儲書一事, 往往有不承權輿者矣. 我東商譯之販貨燕市者, 無不與彼中富商大賈, 各相証契, 號俗主顧, 凡販買貨物, 一切付之主顧, 或先與之直而後來責平, 或預齎貨物而後行償報, 多方相濟, 委曲相通, 有所不求, 求之必得. 余謂購書, 亦宜倣此. 每因貢軺之行, 郵筒將幣, 託契於彼中文士饒鑒藻者, 預致訪書目錄, 或轉求於三吳七閩等地, 或待省, 試之年, 求之於擧子, 囊索所挾, 或因駔儈壟斷之類, 釣得縉紳故家舊藏. 磨以歲月, 陸續寄來, 今歲未得, 則更求於明歲, 今行未寄, 則更托於後行, 勿小得而意滿, 勿始勤而終惰, 愚公移山, 鬼神可使. 故曰: "定力特久." 八道以經之, 五術以緯之, 而儲書之能事畢矣.

宇宙有三大書. 其一明永樂初奉勅撰《永樂大典》, 總二萬二千九百三十餘卷, 淸乾隆中奉勅撰《四庫全書》, 總七萬九千二百五十餘卷, 皆古今未始有之鉅典. 然《永樂大典》, 初命鋟板, 後以工費浩繁而罷.

但寫正副二本, 分貯文淵閣、皇史宬[20], 外人無由寓目.《四庫全書》, 揀取秘笈善本, 以聚珍板擺印, 餘皆繕寫成帙, 鈐藏秘府. 而其摹印之書, 僅居十之三四, 則外人亦無由睹其全. 惟康熙中, 命撰《圖書集成》, 卷帙不鉅, 不讓於《永樂大典》, 而全部皆以活字印行, 至今彼中士紳藏書之家, 多有揷架者云. 我東所可購來者, 但有此一帙, 而大內一部外, 寥寥乎無聞. 不但編鉅値重, 亦坐搬運之, 無其術耳. 蓋遠地搬運之道, 馬不如車, 車不如舟. 新羅從海路通唐, 故所得中華文獻, 甲於外勝. 時, 江浙商舶許泊於禮成江, 奇書善本與百貨共售, 故當時書籍大備. 海外諸國, 如日本之僻在一隅而能致中原, 木弘恭蒹葭堂, 儲書三萬卷. 卽如《圖書集成》鉅編, 前後流入日本, 至於三四部之多, 亦以舟揖通江南故也. 我朝獨不許他國商船來泊. 其所購買華本, 但有貢使便陸運, 而車脚之費, 往往浮於書直, 顧視橐中之裝, 不及什之一, 安得不廢然而斂手沮退乎? 我朝文物之盛年, 擬中華, 而聚書之多, 遠遜於前代者, 特坐不購舟車之用耳. 海路通商, 雖有約禁, 而陸運之策, 所宜亟講. 每歲貢使入燕, 自灣州劃與十萬錢, 以爲入柵, 後車輪方物之費. 今若以此十萬錢, 買健壯馬騾六七匹, 仍造大車數輛所賫方物, 我車我載. 及其回還, 許載私貿書籍, 而量收盤纏於書主, 則在公在私, 俱可費省而事辨. 此不過一有司通變之事, 而迄未聞有起而措處者. 宜其聚書之反, 不及漆齒卉服之類矣.

余有平生願見而未見之書. 其一, 嘗觀榕村李光地文集, 有〈請刊《翁季錄》箚〉,《翁季錄》卽朱子與蔡季通, 論象數律呂之書也. 不知當日曾已鋟板與否, 而迄未見榻本東來者. 其二, 嘗觀《四庫全書》〈簡明書

20 [校勘] 宬 : 저본에는 "成"으로 되어 있는데, 문서고 이름 "皇史宬"에 근거하여 수정하였다.

目〉, 有王懋竑《白田雜著》, 且云, 懋竑於朱子之書, 用力至深, 能辨別其眞僞, 參互其異同. 王卽近代人也, 意謂其書必有可觀. 每因貢軺求訪, 則《四庫全書》所收, 只繕寫一本, 鈴藏宮庫, 外人無由得見. 近聞其家已付剞劂云, 而迄未之見焉. 其三, 嘗觀魏禧文集, 其所撰《左傳經世》, 同時論者, 許以二千年所僅有之書. 亦已鋟梓云, 而未曾見焉. 其四, 嘗熟顧祖禹《方輿紀要》総百餘卷. 詳論山川險易, 関防得失之迹, 而景物遊覽之勝, 不錄焉. 魏禧詡以數千百年絶無, 而僅有之書, 而其已刊板未刊板, 皆不可知. 其五, 北平王源著《文章練要》, 選《左傳》、《孟子》、《莊子》、《楚辭》、《戰國策》、《史記》, 謂之六宗. 余曾見其《左傳》一宗, 評訂、起伏、關鎖、照應、轉紉之法, 如頰上三毛, 像外傳神. 如得《孟子》以下, 嗣刻之編, 備觀六宗文法, 則庶爲操觚之指南, 而迄未之見焉. 此等, 皆可從彼中士紳, 廣搜博訪, 《翁季錄》一種外, 皆是近代著述, 苟有傳本, 不患不得矣.

高深夫之論購書曰: "藏書者, 無問冊帙美惡, 惟以搜奇索隱爲貴." 余推其意而演之曰: "購書而欲裝潢華美, 猶求友而取衣冠鮮麗也." 求友而取衣冠鮮麗, 則衣褐懷玉之士, 遠矣, 購書而欲裝潢華美, 則稀種異本之書, 闕矣. 所貴乎儲書者, 將欲多識前言往行, 增益吾學識耶? 抑欲錦帕牙籤揷架, 觀美如翫好文房之爲耶? 與其破百金, 而購錦裝一袠, 何如用十金, 而購紙裝二袠三袠耶? 所不可堪者, 卽板刻之刓缺也, 刷搨之昏暗也, 編簡之脫漏也. 凡購書, 必先逐葉攤閱, 以觀其板刻刷榻如何, 次按目錄, 以觀其編簡落佚與否. 至於裝池姸媸, 不須問. 假令斷爛已甚, 不妨補綴或改裝也.

曹溶《澹生堂藏書約》, 有論購書緩急, 謂: "'史'爲急, '子'與'集'可緩." 余則以爲購書, 而以緩急取舍, 措大寒儉規模耳. 大方家聚書, 當如百寶之肆, 色色俱有, 有求斯應. 又如貨藥者, 不論溫、涼、寒、熱, 補瀉良毒之濟, 俱收併畜. 苟其對症售劑, 則牛溲馬勃之適於用, 與蔘苓等. 凡遇自家書簏所無, 勿問經、史、子、集, 緩急貴賤, 隨遇隨購, 藏弆備考. 凡奇書異種, 往往有終身求之而不得者, 若以其非目前所急, 靦而失之, 則今日可以十金收者, 他日求之, 雖破千金, 而不可致矣.

藏書之家, 珍措大過, 則類皆錦帊綈袠, 秘之櫥篋, 子弟不敢窺面目. 昔人譬之, 封倉箱而枵腹涼, 非過語. 反於此者, 又無心保護, 或行簏携齎, 不戒水火, 或轉輾借人, 因仍遺失, 皆非計也. 嘗見《柳氏序訓》云: 余家昇平里西堂, 書經、子、史, 皆有三本. 一本紙、墨、籤束以鎭庫, 一本長將披覽, 一本次者, 後生子弟爲業, 此最可法. 然柳時, 天下典籍, 尙未繁穰, 故可以每書必備三本. 降及五代, 鋟板之法行, 而著作之材, 浩如煙海, 安得一一各置三本也? 毛晉汲古閣本, 淸乾隆年間, 內府刻本《通典》、《通志》、《通考》、《溫公通鑑》、《紫陽綱目》, 有坊刻本, 秘府刻本. 詩文如《李杜集》、《唐宋大家全集》、《二[21]程全書》、《朱子文集》等書, 亦皆有舊刻近刻之本. 此等, 皆可兼畜異本, 以備勘校訛誤也.

凡藏書萬卷以上, 宜就面南負北, 隔遠煙爨之地, 起藏書之閣. 其制三面甓築, 惟南面, 設以牕欞, 而用王禎《農書》所載長生屋法製灰泥塗墁, 以防火燭. 循北壁, 列置書櫥, 其制木欞紙糊, 或四格, 或五格, 每一格, 各設兩扇門, 以備開闔鎖鑰. 內塗硾粉箋, 外用黃漆紊之, 以辟黴蒸. 另用諸色粉箋, 列書格內所藏書名, 粘門扇外, 以備考檢出納.

東本簏重, 不可與華本同處. 另起一閣而貯之, 不必櫥藏, 只列架插

---

21 [校勘] 二 : 저본에는 '三'으로 되어 있는데, 서명《二程全書》에 근거하여 수정하였다.

置, 可矣.

《隋書》〈藝文志〉記: "四部裝縹法, 極其瑰麗, 誠典籍之遭遇, 書卷之莊嚴." 然儒素私藏, 何能辨此? 但當以各色籤, 區別四部. 其法用箋厚紙, 糊褙各色綃絹, 裁作兩指大籤, 寫書名及函局次第, 黏付函邉, 垂在卷頁之外. 經部用深紅籤, 藝部用淺紅籤, 史部用靑籤, 志部用碧籤, 子部用黃籤, 薈部用松黃籤, 集部用白籤, 州居部次列揷橱架, 一遊目, 可知某部某書之所在也. 其處之也, 循閣之北壁列置橱架, 經部居上, 藝部次之, 史部又次之, 志部又次之, 子部又次之, 薈部又次之, 集部又次之. 一部各占一橱, 或二三橱, 四五橱. 視藏書多寡, 但或某部之厨, 有三二格空間, 勿許搬那他部, 留待他日求購充補.

古人曝書, 必趁入梅之前, 出梅之後, 故早者, 在四月之初, 晩者, 在七月之後. 大抵最忌陰濕, 必擇晴朗有風日, 洞開閣橱之門. 南欞下, 多設矮脚夾長書几. 自第一橱爲始, 次次搬運書函于書几上, 用無塵子, 逐卷拂拭, 或展卷攤葉, 風晾. 數時, 收入本橱原格之內. 第一橱旣畢, 始出第二橱之書; 第二橱旣畢, 始出第三橱之書. 一日曬數千卷而止. 藏書數萬卷者, 限以十餘日竣事, 限內或遇陰雨, 則更展那他日, 切不可忙遽潦艸. 又不可使庸奴麄僮執事. 子弟門生中, 願携筆硏, 就鈔異聞者, 聽.

姜紹書《韻石齋[22]筆談》云: "朝鮮人好書. 每使臣入貢, 不論舊典新書稗官小說, 在彼書缺者, 不惜重直購回. 故彼國反有異書藏本." 此固紀實之言也. 東人素昧著書, 尤不嫺鋟板刻鈔等事, 其漁獵鑽硏, 只恃華本爲命. 而地近中華, 貢使轍跡交於道, 購貿書籍, 特易爲力. 故每

22 [校勘] 齋 : 저본에는 '齊'로 되어 있는데, 서명《韻石齋筆談》에 근거하여 수정하였다.

歲貢軺之還, 未嘗不帶書籍數十百種, 月計不足, 歲計有餘. 雖鑒裁無法, 撦揺勿翦, 叢疊堆垜, 掛一漏萬, 而統論域中之藏, 則四部幾幾乎富溢矣. 稀種秘笈, 縱未易朝暮遇, 而若乃海內通行之書, 不待遠求於中華, 而自可購貿於方內矣.

據東坡〈論高麗買書利害箚子〉, 熙寧中, 高麗使乞賜《太平御覽》, 元祐中, 高麗使請買歷代史《策府元龜》. 據彭乘《墨客揮犀》, 熙寧中, 高麗遣使求貢, 且求王平甫詩. 東人之饑渴書籍, 自前代已然. 高麗忠宣王之在元也, 搆萬卷堂於燕邸, 遣博士柳衍等于江南, 用寶鈔一百五十錠, 購書一萬八百卷, 又元帝賜秘閣藏本四千七十卷. 及忠宣還國, 網載以歸, 儲于秘閣. 本朝定鼎漢陽, 移貯景福宮之集賢殿, 又益之. 以皇明宣德元年欽賜經史後, 移貯弘文館, 而列朝相承, 典籍大備. 萬曆中, 命太醫許浚, 撰輯《東醫寶鑑》, 內出醫方五百余卷, 俾資考據. 醫方如此, 他可類推. 秘府藏書, 於斯爲盛, 未幾燬於壬辰倭燹, 今弘文館侍講院兩處藏書, 皆壬辰後重新鳩聚者也. 先朝初, 載建奎章閣于內苑, 其藏書之所有閱古觀西庫兩處, 取弘文館侍講院善本, 移度之. 復益之以新購《圖書集成》等書總二萬三千七百餘冊. 而弘文館侍講院藏本, 不與焉. 此我東三館藏書之始末也. 雖其鈐藏秘府, 非外人所可寓目. 而願讀中秘, 傳爲美談. 懷餠鈔書, 世豈乏人. 經史子集等卷頁數十以下者, 苟托供奉書史輩鈔錄以出, 則稀書秘帙, 庶可漸次流行於世. 明成化中, 邱濬在文淵閣, 見余靖武溪集, 惜其世罕傳本, 遂手鈔以傳. 古人流通古書之苦心, 乃如是矣.

中華之書也, 而有不可求之中華者. 錢謙益《牧齋[23]初學集》、《有學集》

---

23 [校勘] 齋 : 저본에는 '齊'로 되어 있는데, 인명 '錢謙益'의 號 '牧齋'에 근거하여 수정하였다.

竝於乾隆中詔毁其板, 私藏者抵罪. 呂留良《晩村集》亦有屬禁. 近聞《顧亭林集》、《豸青全集》皆爲彼中禁書云. 然牧齋詩文善於用事, 最利於擧業漁獵之資, 故東人之稍以操觚名者無不揷架. 呂、顧諸集亦有禁前東來者, 皆可求購於域中. 他日禁弛, 彼將以吾東爲孔壁也.

華人之記東事之書, 槩擧之,《唐》〈藝文志〉, 有失名氏《奉使高麗記》一卷, 裵矩《高麗風俗》一卷, 顧愔《新羅國記》一卷, 張建章[24]《渤海國記》三卷.《通志》〈藝文略〉, 有僧顔《渤海行年[25]記》十卷.《文獻通考》〈經籍考〉, 有失名氏《雞林類事》三卷, 王應麟《玉海》作孫穆撰 王雲《雞林志》三十卷, 章僚《海外使程廣記》三卷, 徐兢《高麗圖經》四十卷,《玉海》〈藝文類〉, 有吳拭《雞林志》二十卷,《明》〈藝文志〉, 有宋應昌《朝鮮復國經略》六卷, 蕭應宮《朝鮮征倭紀[26]略》一卷, 倪謙《朝鮮記事》一卷, 錢溥《朝鮮雜志》三卷, 龔用卿[27]《使朝鮮錄[28]》三卷,《魏季子集》〈寧都先賢傳〉, 有董越《使東日錄》一卷,《列朝詩集》, 有吳明濟《高麗世紀》一卷,《四庫全書總目》, 有董越《朝鮮賦》一卷, 鄭若曾《朝鮮圖說》一卷, 黃洪憲《朝鮮國紀》一卷, 總十九種. 惟徐兢《高麗圖經》載在《知不足齋叢書》, 董越《朝鮮賦》載在《昭代叢書》, 余皆寓目. 黃洪憲《朝鮮國紀》, 翰林編修程晉芳家有藏本云. 鄭若曾《朝鮮圖說》, 范氏天一閣有藏本云. 其餘[29]十五種莫知其存佚. 然如《朝鮮復國經略》、《朝鮮征倭紀略》、《朝鮮記事》等書, 皆近代人

24 [校勘] 章 : 저본에는 '封'으로 되어 있는데,《新唐書》〈藝文志〉에 근거하여 수정하였다.
25 [校勘] 年 : 저본에는 '程'으로 되어 있는데,《通志》에 근거하여 수정하였다.
26 [校勘] 紀 : 저본에는 '記'로 되어 있는데,《明史》〈藝文志〉에 근거하여 수정하였다.
27 [校勘] 卿 : 저본에는 '覽'으로 되어 있는데,《明史》〈藝文志〉에 근거하여 수정하였다.
28 [校勘] 錄 : 저본에는 '記'로 되어 있는데,《明史》〈藝文志〉에 근거하여 수정하였다.
29 [校勘] 餘 : 저본에는 '余'로 되어 있는데, 문맥에 따라 수정하였다.

所撰, 苟得其一二種, 其有資於考証東事, 豈淺尠也哉?

東人纂述之見於中華書籍者, 試概擧之, 王應麟《玉海》有沈忞《三國史》五十卷.【《三國史》高麗金富軾撰, 此謂沈忞, 記錄之訛也.】朱彝尊《曝書亭集》有《高麗史跋》, 稱其體才可觀, 有條不紊. 昀等《四庫全書總目》有徐敬德《花潭集》二卷, 稱其能發揮《太極圖說》、《皇極經世書》之旨.《總目》又云: "《朝鮮史略》一卷, 撰人無考, 萬曆東征時, 馮仲纓得之." 彼中又有《朝鮮志》二卷、《朝鮮國志》一卷, 皆云"東人所撰". 今《三國史》、《高麗史》、《花潭集》皆有傳本, 餘如《朝鮮史略》、《朝鮮志》、《朝鮮國史》等書, 不惟無傳本, 竝與撰人姓[30]名而不可考, 好事者所宜留心蒐訪也.

《五代史·四夷傳》云"周世宗六年, 高麗進《別序孝經》一卷", 而我東今無本, 東儒之號雅者, 亦不能擧《別序[31]孝經》之名矣. 近見鮑廷博《知不足齊叢書》刻古本《孝經》, 謂得之日本商船, 又按《四庫全書總目》, 載日本人井鼎《七經孟子考文》, 凡例稱其國足利學, 有古本《周易》三通、《略例》一通, 皇侃《論語義疏》[32]一通, 古文《孟子》一通, 此皆中國不傳之秘本也. 宜亟從渡海倭譯以善價求之, 所謂"學在四夷"者也.

東國書籍無種, 不能備四部之體, 其榛楛稱望充溢棟宇者, 惟別集一類耳. 先朝丙辰, 余在內閣, 承命編《鏤版考》, 查檢京外公私所藏鏤版, 一一臚載, 竝著其撰人姓[33]名, 義例梗概. 凡欲知其書版本之在於

---

30 [校勘] 姓 : 저본에는 '性'으로 되어 있는데, 문맥에 따라 수정하였다.

31 [校勘] 序 : 저본에는 '敍'로 되어 있는데, 문맥에 따라 수정하였다.

32 [校勘] 論語義疏 : 저본에는 '論語疏'로 되어 있는데, 《四庫全書總目》에 따라 수정하였다.

33 [校勘] 姓 : 저본에는 '性'으로 되어 있는데, 문맥에 따라 수정하였다.

某地, 板刻完刓印紙多寡, 就此考檢, 庶無違爽. 然此但紀見存板刻耳. 若其版佚書存者, 活字擺印者, 原未鋟梓以寫本行世者, 又當另從求購. 金富軾《三國史》, 近以活字本傳世, 而收藏絶罕, 鄭麟趾《高麗史》, 亦板佚書存, 而印本日就斷煉. 我東正史只有此二種, 更過數十百年, 遂泯其傳, 則東方數千年文獻絶矣. 藏書者所宜首先購儲, 外他輿地之書如徐四佳《輿地勝覽》、柳馨遠《輿地志》, 方藝之書如許浚《經驗方》、李匡師《圓嶠筆訣》, 農家如鄭招奉敎撰《農事直說》、姜希孟《衿陽雜錄》、申洬《農家集成》, 或板刻久佚, 或原未付梓, 其板佚書存者, 善價訪求; 其寫本行世者, 繕錄以傳. 若稗史野乘, 零編剩簡叢碎堆垛, 不可殫擧. 大抵多寫本, 此類宜不問臧否, 俱收竝畜以備昭代史料. 別集一類, 近益濫觴, 良楛雜糅, 更僕難數, 此當以儒林源流詞垣品裁, 揀別而存之. 惟古本舊刻如新羅崔致遠《桂苑筆耕》, 高麗李奎報《李相國集》, 陳澕《梅湖集》, 李嵒等《鐵城聯芳集》, 韓修《柳巷集[34]》, 田祿[35]生《埜隱集》, 皆板刻久佚, 傳本亦稀, 特宜留心收藏, 勿令遂至煙泯, 以成就古人不朽之傳. 近代纂述如李瀷《星湖僿說》, 安鼎[36]福《東史綱目》, 申景濬《東國地理考》, 李德懋《盎葉記》、《靖蜓國史》, 柳得恭《渤海考》、《四郡考》, 皆可收儲以備考証. 英廟甲申, 先王父文靖公長玉署, 奏令八路郡縣纂修邑志以上, 薈稡成帙, 總五十餘冊, 藏在弘文館, 今不知存佚. 先朝丙辰, 李萬運奉敎, 增修《東國文獻備考》總百餘冊, 今藏摛文院. 我東掌古之書, 惟此二書爲鉅觀, 亟宜繕寫揷架備考. 此皆《鏤版考》所未載者也.

---

34 [校勘] 集 : 저본에는 '集'이 없는데, 문맥상 보충하였다.

35 [校勘] 祿 : 저본에는 '錄'으로 되어 있는데, 인명 '田祿生'에 근거하여 수정하였다.

36 [校勘] 鼎 : 저본에는 '廷'으로 되어 있는데, 인명 '安鼎福'에 근거하여 수정하였다.

司馬溫公讀書堂, 文史萬餘卷, 自言: "每歲初夏視晴明日, 卽設案向日側, 群書其上, 以暴其腦." 後世藏書家曝書, 大率用此法. 然其實暘暴卽收, 則熱氣內蘊, 反易釀蠹. 余曾經驗者屢矣. 宜緣藏書閣之南, 簷罩以布幔, 或箯簞以遮敲曦直射, 但令卷卷, 受風燥之氣, 不患梅黴之不退也.

造裝書紙法

造裝書紙法, 老桑木心揀[37]取赤色者, 細析濃煎, 入白礬少許, 拖染數十次, 則成駝色. 取老桑木心黃色者, 煎汁入白礬、黔金少許, 則成沈香色. 取松皮紫赤者, 去麤皮椎碎, 濃煎取汁, 入白礬、臙脂各少許, 則成淡紫色. 取苦楝根, 濃煎入白礬少許, 則成醬色, 皆可染紙, 裱[38]褙裝書帙[39]. 若近來燕京書肆書, 用單染梔子者, 品須芬.

《居家必用》有造古經紙法,《遵生八牋》有造宋箋色法,【俱詳見《文房雅製》.】皆可充裝書之用.

用諸色粉箋, 裝書者, 不必裱褙. 但須用白蠟砑光, 滿灑碎金者, 始入品.

東本裝書紙造法, 潔白紙裁作方冊大, 染黃柏, 或槐子汁, 俵 晾乾, 先用性堅理細木, 刻稜花, 或卐字, 或七寶文, 取裱[40]過紙噴水微濕, 覆板刻上, 用蠟砑印, 令極光滑, 可鑑, 人揭起聽用.

37 [校勘] 揀 : 저본에는 '楝'으로 되어 있는데, 문맥에 따라 수정하였다.
38 [校勘] 裱 : 저본에는 '俵'로 되어 있는데, 문맥에 따라 수정하였다.
39 [校勘] 帙 : 저본에는 '佚'로 되어 있는데, 문맥에 따라 수정하였다.
40 [校勘] 裱 : 저본에는 '俵'로 되어 있는데, 문맥에 따라 수정하였다.

關西人, 搗藁[41]稭造紙, 其色淡黃. 俗呼藁精紙, 亦可砑紋裝書.

釘裝旣就, 凡書卷三四沓以上, 必有函匣護之. 華造者, 用藁紙, 藁半分者爲之, 東造者, 糊褙累十重, 熨烙爲之. 一函, 凡五板相連, 外用靑黑綿布, 或各色紋緞爲衣, 內塗硾粉箋, 或綿紙圍裹. 書卷上面, 兩板相掩爲襟, 其合襟邊際上下, 各綴一籤揷定. 籤用牙骨, 籤帶或用五色絲織成, 或只用函衣本色.

古人携持書卷之具, 曰巾, 曰帕, 曰袱, 皆用綈綿聯幅包裹者也. 曰箱, 曰篋, 曰簏, 皆編竹爲圖, 用以貯書也. 高曰簏,【《說文》: "竹高篋也."】隋方曰篋.【《儀禮》註: "隋方曰篋." 疏謂: "隋狹而長也."】

東本, 宜用木匣貯之, 大小高深一視. 書帙高者, 內分二格, 或三格, 前設獨扇門, 門閾上下挖槽深二三分, 門扇上下作舌寬一二分, 令可升降抽開. 門扇正中刻書名, 用泥金, 或二靑塡之, 書名上釘銅環一個. 卷帙巨者, 自一匣至四五匣, 八九匣, 相疊層庋用. 桐木造白蠟刷光, 熨烙者, 最佳[42].

裝潢

馬永卿《嬾[43]眞子》錄曰: "唐秘書省吏, 有裝潢匠六人, 裝潢, 恐是今之裱褙匠. 然謂之潢, 其義未詳." 案古人詔制及秘府書籍, 皆用黃蘗水染之, 以辟蠹, 故釘書, 謂之裝潢.

41 [校勘]藁 : 저본에는 '膏'로 되어 있는데 문맥에 따라 수정하였다.
42 [校勘] 佳 : 저본에는 '桂'로 되어 있는데, 문맥에 따라 수정하였다.
43 [校勘]嬾 : 저본에는 '懶'로 되어 있는데, 《四庫全書總目》에 따라 수정하였다.

雌黃

沈括《夢溪筆談》曰: “館閣新書淨本, 有誤書處, 以雌黃塗之. 蓋改字之法, 刮洗則傷紙, 紙貼之, 又易脫. 粉塗則字不沒, 塗數遍, 方能漫滅. 唯雌黃一漫則滅, 則久不脫. 古人謂之鉛黃, 葢用之有素矣.” 余謂古者館閣書卷, 皆用黃檗染之. 故用雌黃, 不獨取其能漫字画, 亦取其同色也.

割付

近世編書之家, 既寫復有所刪補改定者, 則裁剪寫本, 流移粘付於空紙, 俗謂之割付. 較之移瞻[44], 事省功倍, 獨不知其法創於何人. 近看朱子答余正甫, 論禮書義例, 有買他書以備剪貼之語, 又云, 大小高下不齊云云. 想其法, 與今所謂割付者無異, 其所從來者遠矣.

藏書

我朝紳縉家, 以藏書名者, 蓋寥寥焉. 惟碧梧齋[45]尚書李公家最富儲書, 至今鎭川艸坪舊宅, 尙藏近万卷, 皆粉紙綾絹裝, 善本也. 此外罕聞. 谿谷集有兪[46]忠穆泓碑銘, 稱嗜讀書, 家藏書, 至萬卷. 東人計卷, 例用冊數, 若以計之, 當不下數萬卷, 近古所未聞也. 近來沈侍郎涵齊,

44 [校勘] 瞻 : 저본에는 ‘膽’으로 되어 있는데, 문맥에 따라 ‘瞻’으로 수정하였다.

45 [校勘] 齋 : 저본에는 ‘齊’로 되어 있는데, 인명 ‘李時發’의 號 ‘碧梧齋’에 근거하여 수정하였다.

46 [校勘] 兪 : 저본에는 ‘愈’로 되어 있는데, 인명 ‘兪泓’의 성에 근거하여 수정하였다.

酷好儲書, 聚書至數萬卷. 其胤斗室尚書益事鳩集, 四部蓋略備, 我東之所罕有也.

書肆

書肆之作, 其來甚遠.《後漢書》〈王充傳〉, "家貧無書, 常游洛陽市肆, 閱所賣書." 是知列肆賣書, 自漢已然. 時無鏤板之法, 一切書籍, 皆傳寫相傳, 其難百倍於今矣.

活板

余向見陸深《蜀都雜抄》, 記活字之制, 意其法創自明中葉. 近閱沈括《夢溪筆談》, 稱慶曆中, 布衣畢昇爲活板, 且備載其法. 始知活字印書, 遠自北宋之初, 益覺書不可不博覽也.
沈括《夢溪筆談》, 記畢昇活板法, 斯乃活板之所權輿也. 視鏤版, 用力省而程工速, 後世其法寢備, 或用木造, 或用鉛造, 或用銅造, 我東尙之.
太宗癸未, 置鑄字所, 範銅爲字, 擺印經籍. 正宗朝, 屢鑄銅字, 或用衛夫人體, 或用韓構[47]體. 乙卯, 用康熙字典字, 鑄大小十五萬字, 賜名生生字. 閭閻亦有私造者, 近年新印文集譜牒十九, 皆活版也.

---

47 [校勘] 構 : 저본에는 '遘'로 되어 있는데, 인명 '韓構'에 근거하여 수정하였다.

鋟書

鋟板書籍, 始自後唐明宗時, 此紀載諸家之所同也. 宋王明《淸揮塵餘話》云: "毋丘儉, 貧賤時, 嘗借文選于交遊間, 其人有難色. 發憤, '異日若貴, 當板以鏤之, 遺學者.' 後仕王蜀爲宰, 遂踐其言刊之, 印行書籍, 創見於此, 事載陶岳《五代史補》." 此又在唐明宗前矣.

鋟板書籍, 棗梨木爲上, 梓木次之. 裁成板子, 用鹽水煮, 出晾[48]乾, 則板不翻歪, 且易雕也. 板之廣不可過一尺, 長不可過七八寸. 大抵寧小毋大, 大則費棗梨紙楮, 又患卷帙太麤重也. 格用單邊,【宋刻, 皆單邊.】行宜十九行, 或二十行. 字體倣歐陽率更者爲上, 洪武正韻次之. 若我東院筆, 粗率不堪賞翫也. 每刷印旣畢, 卽洗淨晾乾, 貯之木櫃, 置之高閣, 可久遠不刓缺. 陜川海印寺, 儲藏經板本. 卽高麗高宗時刻, 至今六百年如新也.

藏經

陜川海印寺, 有大藏經板本, 自古稱新羅哀莊王時刻. 余嘗疑, 雕印書籍之法, 始自五代, 哀莊王時, 安得有此? 李德懋《盎葉記》, 亦疑之, 而不能考其何時雕造. 余於丙辰, 承命撰京外鏤板目錄, 行會陜川郡, 摸印大藏經目錄以來則, 卷端題: "戊申高麗大藏都監, 奉勑雕造." 始知爲高麗刻本. 遂取高麗史, 細撿之, 韓彦恭傳云: "成宗時, 彦恭, 以兵部侍郎如宋, 奏請大藏經, 太宗皇帝, 賜藏經四百八十一函,

---

48 [校勘] 晾 : 저본에는 [日+亮]으로 되어 있는데, 문맥상 '晾'으로 수정하였다. 아래도 같다.

二千五百卷.” 高宗[49]世家云: “大藏經, 顯宗時板木, 燬於壬辰蒙兵. 王與郡臣, 更願立都監, 十六年而功畢. 辛亥, 幸城西門外大藏經板堂, 率百官行香.” 據此, 則是經之東來, 在高麗成宗時, 鋟板在顯宗時, 重鐫在高宗時, 無疑也. 本藏松京西門外板堂, 其遷于海印寺, 不知在何時也. 唐開元間, 總結經律[50]論之目, 謂之大藏經, 總五千四十八卷. 至貞元間, 增新經二百餘[51]卷. 宋至道以後, 惟淨所譯新經, 又九千餘卷, 然南宋以後, 迄于元明代, 有增損而所稱藏經卷數, 率不過五六千卷. 夫以一遇偏壤, 得宇宙以來, 藏經之全而迄今五六百年板刻如新, 斯又仏乘之盛事, 典籍之異數也.

東國文獻備考輿地志云: “陜川海印寺, 新羅哀莊王所創. 遣使入唐, 購八萬大藏經, 以舶載來, 建閣百二十間藏處.” 此亦沿流俗相傳之訛也.

---

49 [校勘] 宗 : 저본에는 '宋'으로 되어 있는데, 《高麗史》 卷24 〈高宗世家〉에 근거하여 수정하였다.

50 [校勘] 律 : 저본에는 '津'으로 되어 있는데, 불교 전적(典籍)에 대한 총칭을 '경률론(經律論)'이라고 하고, 대장경(大藏經)을 가리키기도 하므로 '律'의 오자로 보아 수정하였다.

51 [校勘] 餘 : 저본에는 '余'로 되어 있는데, 문맥에 따라 수정하였다.

금화경독기 金華耕讀記

권 6

文章知遇

《玉壺清話》載宋太宗聞楊徽之詩名, 索所著, 得數百篇奏御. 御選集中十聯, 寫於屏. 梁周翰[1]詩曰: '誰似金華楊學士? 十聯詩在御屛中.' 可謂遭遇矣. 當補王元美〈文章九命〉中知遇條.

聖人觀物

《史記》載漢高祖相吳王濞事,《玉壺淸話》載宋神宗相呂溱事, 雖專門神術不能及. 帝王觀物, 殊異凡見如此.[2] 正廟壬子, 上臨殿試士, 余以史官侍, 李濟萬以兵曹參議在衛班. 旣罷朝, 上顧謂臣曰: "朝見李濟萬, 氣色可異矣." 臣對曰: "以臣觀, 殊似無異." 上曰: "試觀之." 果後數日, 因事被劾, 幾陷罔測.

用志不分

朱子〈遇讀謾[3]記〉云: "釋氏有淸草[4]堂者, 有名叢林間[5]. 其始學時, 若[6]

---

1 [校勘] 翰 : 저본에는 '輪'로 되어 있는데 양주한의 이름은 '翰'이 돼야 하므로 이에 근거하여 바로잡았다.

2 [校勘] 此 : 저본에는 다음에 '一'이 있으나 아래 '正'의 첫 획으로 보아 삭제하였다.

3 [校勘] 謾 : 저본에는 '漫'으로 되어 있는데,《회암집(晦庵集)》 권71 〈우독만기(遇讀謾記)〉에 근거하여 바로잡았다.

4 [校勘] 草 : 저본에는 '華'로 되어 있는데,《회암집(晦庵集)》 권71 〈우독만기(遇讀謾記)〉에 근거하여 바로잡았다.

5 [校勘] 間 : 저본에는 '問'으로 되어 있는데,《회암집(晦庵集)》 권71 〈우독만기(遇讀謾記)〉에 근거하여 바로잡았다.

6 [校勘] 若 : 저본에는 '苦'로 되어 있는데,《회암집(晦庵集)》 권71 〈우독만기(遇讀謾記)〉에 근거하여 바로잡았다.

無所入, 有告之者曰: '子不見猫之捕鼠乎? 四足据地, 首尾一直, 目睛不瞬, 心無他念, 惟其不動, 動[7]則鼠無所逃矣.' 清用其言, 乃有所入." 此卽《莊子》所謂"用志不分, 乃凝[8]於神"者也.

生前作棺

近來鄕曲年老者, 往往於生前預作棺髹漆以置者, 或譏其預凶事. 然邵子湘《青門集》有〈息葊[9]記〉, 亦生前治棺也. 宋韓淲《澗泉日記》云: "天竺慈[10]雲法師生前制棺, 名爲遐榻[11]." 此又遠在子湘之前, 而空門老釋之斬斬於身後四大之藏, 亦可異也.

余嘗引邵子湘之息葊[12]、天竺慈雲法師之遐榻, 爲生前制棺之証. 今方[13]陶九成《輟耕錄》記道士壽函事云: "會稽陽明洞天, 有老子宮. 嘗至其處, 見一老道士, 置一空棺於其室云: '已十餘年, 未能卽棄浮世而入此匣也.'" 儒謂之息葊, 佛謂之遐榻, 道謂之壽函, 皆生前製棺也.

翟灝[14]《通俗編》云: "《集韻》'𣞴音同檮[15], 棺也.' 焦竑《字學》'生前預

---

7 [校勘] 動 : 저본에는 없는데, 《회암집(晦庵集)》 권71 〈우독만기(遇讀謾記)〉에 근거하여 보충하였다.

8 [校勘] 凝 : 저본에는 '疑'로 되어 있는데, 《장자(莊子)》 외편 〈달생(達生)〉에 근거하여 바로잡았다.

9 [校勘] 葊 : 저본에는 '庵'으로 되어 있는데, 《청문집(青門集)》 〈식암기(息葊記)〉에 근거하여 바로잡았다.

10 [校勘] 慈 : 저본에는 '慧'로 되어 있는데, 《간천일기(澗泉日記)》 권 하(下)에 근거하여 바로잡았다. 아래도 같다.

11 [校勘] 榻 : 저본에는 '搨'으로 되어 있는데, 《간천일기(澗泉日記)》 권 하(下)에 근거하여 바로잡았다. 아래도 같다.

12 [校勘] 葊 : 저본에는 '菴'으로 되어 있는데, 《청문집(青門集)》 〈식암기(息葊記)〉에 근거하여 바로잡았다.

13 [校勘] 方 : 저본에는 '放'으로 되어 있는데, 문맥에 따라 수정하였다.

14 [校勘] 翟灝 : 저본에는 '瞿顥'로 되어 있는데, 《통속편(通俗編)》의 저자인 '翟灝'로 바로잡았다.

15 [校勘] 檮 : 저본에는 '壽'로 되어 있는데, 《집운(集韻)》에 근거하여 바로잡았다.

製棺曰欛, 俗曰欛圖.'" 此又生前預作棺之証矣.

姻家先輸

王逸少〈論諸葛昏書〉云: "若以家貧, 自當供助昏事." 蓋二族議昏, 一饒一貧, 則饒者先輸財帛于貧家, 自古有此風矣. 今士夫家恥受姻家先輸之物, 甚或至廢倫而不肯受者, 多見其鄉黯也.

盜倉穀律

宋王堯臣知光州時, 歲大饑, 群盜發民倉廩, 吏法當死, 堯臣曰: "此饑[16]民求食耳, 荒政之所恤也." 請以減死論. 歐陽公作王墓誌, 紀其事, 且曰: "後遂以著令, 至今用之." 蓋美之也. 魏叔子〈救荒策〉, 則重强糴之刑, 其說曰: "時方大饑, 民易生亂, 强糴不禁, 勢必搶[17]奪, 搶奪, 勢必擄殺, 當著爲令曰: '有不依時價, 强糴一升者, 卽行梟首.'" 余嘗謂'强糴一升, 罪至梟首, 以常情言之, 誠有過重之義.' 而其所謂'强糴不禁, 勢必搶奪, 搶奪, 勢必擄殺'云者, 不可謂無此也. 蓋强糴[18]之罪, 雖不可疑以梟首之律, 而搶奪擄殺, 安得不施以一律? 然則盜發倉廩, 而以減死論, 無乃過輕而釀亂耶? 幸値天聖、景祐之間, 國家之元氣方盛, 一時災荒不至[19]搶亂耳, 此非衰季之所可法也.

---

16 [校勘] 此饑 : 저본에는 '饑此'로 되어 있는데, 문맥에 따라 수정하였다.

17 [校勘] 搶 : 저본에는 '槍'으로 되어 있는데, 《흠정강제록(欽定康濟錄)》〈구황책(救荒策)〉에 근거하여 바로잡았다. 아래도 같다.

18 [校勘] 糴 : 저본에는 '糶'으로 되어 있는데, 《흠정강제록》〈구황책〉에 근거하여 바로잡았다.

19 [校勘] 不至 : 저본에는 '至'로 되어 있는데, 문맥에 따라 수정하였다.

屠牛之禁

朱翌《猗覺寮雜記》云: "第五倫守會稽, 有妄屠牛者, 吏輒行罰, 州郡禁屠牛, 始于此. 晉元帝時, 丁澤[20]書云 '殺牛有禁, 買者不得輒屠', 朝廷禁屠牛, 始于此." 此中國禁屠牛之緣起也. 我國朝最重本教, 凡京外私屠牛犢者, 現輒刑贖, 載在關和. 近古以來, 法弛民狃, 每當元歲, 藏禁恣意屠殺. 至正廟癸丑, 申嚴舊典, 州縣令尉, 往往有因此抵罪者. 行之數年, 孳殖益蕃, 敦畊之教, 解網之仁, 一擧而兩盡矣.

禁酒具

方望溪與徐司空論酒禁書云: "三國時, 家有酒具, 行罪不赦." 按: 自古禁釀之世, 幷無禁酒具之事. 惟蜀先主, 時天旱, 禁釀酒者, 有刑吏得釀具於民家, 欲論如法. 時簡雍與先主遊觀, 見男女行道, 謂先主[21]曰: "彼人欲行淫, 何以不縛?" 先主曰: "何以知之?" 對曰: "彼有其具, 與欲釀者同." 先主大笑, 原欲釀者. 至今傳爲口實, 若以此而爲禁酒具之實蹟, 則誤矣.

---

20 [校勘] 澤 : 저본에는 '潭'으로 되어 있는데, 《의각료잡기(猗覺寮雜記)》 권 하 〈한고조(漢高祖)〉에 근거하여 바로잡았다.

21 [校勘] 主 : 저본에는 '生'으로 되어 있는데, 문맥상 '主'의 오기로 보아 바로잡았다.

扇枕[22]溫被

扇枕溫被, 世徒知有黃香, 而不知又有王延. 延晉時人, 事親色養, 夏則扇枕蓆, 冬則身溫被, 與黃香事, 絶相似矣. 宋徐積居州學, 常設考妣几筵, 晨昏起居, 執爨滌器, 饋食如生, 冬以火溫衾, 夏揮扇去蚊蚋. 此所謂'事死如死生', 尤難於黃、王矣.

隨年杖

五代劉銖每杖人, 必隨年數杖之, 號隨年杖. 此法若施之兒弱, 則可[23]矣, 而施之年老, 則七十者杖七十, 八十者杖八十, 以至九十百, 愈老愈重, 鮮有得全, 可謂古今淫刑之甚者.

縱囚

世徒知唐太宗縱囚, 不知後人倣[24]行者, 不止一二. 北宋戚綸知太和縣, 每歲時, 與囚約曰: "放[25]汝暫歸, 祀其先, 櫛[26]沐蠛虱." 民感其惠, 皆及期而還, 無敢後者. 此以知縣而縱囚也.

---

22 [校勘] 枕 : 저본에는 '沈'으로 되어 있는데, 문맥상 '枕'의 오기로 보아 바로잡았다. 이하 '沈'도 모두 '枕'으로 수정하였다.

23 [校勘] 可 : 저본에는 없는데, 문맥을 살펴 보충하였다.

24 [校勘] 倣 : 저본에는 '微'으로 되어 있는데, 문맥상 '倣'의 오기로 보아 바로잡았다.

25 [校勘] 放 : 저본에는 '於'로 되어 있는데, 《사실류원(事實類苑)》에 근거하여 바로잡았다.

26 [校勘] 櫛 : 저본에는 '擳'로 되어 있는데, 《사실류원(事實類苑)》에 근거하여 바로잡았다.

玉帶盜

《五代史》: “晉萇從簡, 聞許州富人有玉帶, 欲之而不可得, 遣二卒, 夜入其家, 殺而取之. 卒夜踰垣, 隱木間, 見其夫婦相待如賓, 歎曰: ‘吾公欲奪其寶而害斯人, 吾必不免.’ 因躍出而告之, 使速以帶獻, 遂踰垣而去.” 此富人何減冀缺, 而史失其姓氏, 可歎.

大車

宋周密《癸辛雜志續集》云: “北方大車, 可載四五千斤. 用牛騾十數駕之, 管車者, 僅一主一僕, 叱咤之聲, 牛騾聽命惟謹. 凡車必帶數鐸, 聲聞數里之外, 其地乃荒凉空野故耳. 蓋防來車相遇則豫先爲避, 不然, 恐有突衝之虞耳. 終夜勞苦, 殊不類人, 雪霜泥濘, 尤艱苦異常. 或泥滑陷溺, 或有折軸, 必須修整, 乃可行, 濡滯有旬日.” 其言車制與行車之法, 皆今中國之所通行耳. 周之紀之也, 一似異域風俗之創見而駭矚者. 然, 豈是時江以南不曾用大車也?

地產麪

戊戌己亥之間, 廣州地産麪. 時連歲饑饉, 民競採食, 與麥麪無異. 按: 宋嘉祐中徐州奏, “彭城縣白鶴鄉, 地生麪, 凡十餘頃, 民皆取食.” 帝遣內侍竇承秀, 往視之. 占曰: “地生麪, 民將饑也.” 是時, 濠州亦言鍾離縣, 地生麪, 民取食之. 元豊中, 青、淄荐[27]飢, 山中及平地, 皆生白麪白石, 如灰而膩. 民以少麪, 周和爲湯餠, 可食, 大濟乏絶. 又按本朝李廷馨所撰《東閣雜記》云: "咸吉道 和州, 有土形色俱如黃蠟, 作餠, 味似蕎麥[28], 飢民取食, 充腹免饑. 又甲午大饑, 鳳山境, 産土粘, 滑如小麥屑, 以土[29]七分, 米屑二三分, 作餠食之, 可以療飢, 亦不生病, 饑民賴以全治."

雨麥

天雨粟, 馬生角, 言理之所必無也. 上之庚午初夏, 湖西牙山、平澤之間, 雨雹, 形如蕎麥之實. 嚼之覺微腥, 日久不消, 粒粒皆完. 土人疑不敢食, 有好事者, 取而種之云: "未知何異也."

再生

《漢五行志》: "元始元年, 朔方女子病死, 斂棺積六日而出棺外." 我朝亦多此異. 余金陵[30]丙舍, 東麓有喚醒庵, 住持奉敏, 嘗爲余言"渠之養母, 文化民家女. 少時, 死三日復甦, 至老死, 斂處黯黑可辨"云.

又正廟丁未, 關西定州, 女子病死. 既葬十四日, 樵童過其墓. 墓忽自動, 莎艸崩開. 大驚走告其母, 其母往審之, 果然遂破棺. 發其斂, 其女復生. 守臣報于觀察使, 觀察使疑其誕, 遣人廉之, 良然. 然以事涉幽怪, 置不以聞.

---

27 [校勘] 荐 : 저본에는 '薦'으로 되어 있으나, 《계신잡지속집》에 의거하여 바로잡았다.

28 [校勘] 蕎麥 : 저본에는 '蕎麥'으로 되어 있는데, 《동각잡기》에는 '木麥'으로 되어 있다.

29 [校勘] 土 : 저본에는 '上'으로 되어 있는데, 《동각잡기》에 근거하여 바로잡았다.

30 [校勘]陵 : 저본에는 '凌'으로 되어 있는데, 《풍석전집(楓石全集)》에 근거하여 바로잡았다.

人異

英宗丙戌, 山陰縣村女終丹, 六歲生子. 道臣以聞, 上遣御使按覈, 刑配其所姦男子, 配丹及所生子于黑山島, 改山陰縣爲山淸縣.

正宗壬戌, 抱川李姓人家一婢嫁夫. 有年, 忽下腹脹[31]痛, 陰傍有肉塊凝, 象如覆鉢. 已而, 變爲陽莖雙閬具焉, 形貌聲音, 皆男子也.

今上乙丑, 長城農家婦懷孕. 至十朔, 臍傍痛楚, 皴裂漸作一竅, 大可容拳. 兒從竅出, 母竟無苦.

百歲老人

李調元《尾蔗叢談》云: "行乞老人, 自言'年今百四十歲, 猶矍鑠, 行乞十里則終日返, 二十里則翌日返'. 其人無異狀, 身不滿四尺, 貌癯而黑, 似應爲丐者. 獨雙耳垂垂, 長二寸許, 老猶腴潤如故." 又云: "其人從未破色欲戒, 不知世間男女婚嫁爲何事, 至今猶童子身." 我東關北咸興, 亦有不知生年之老人, 自言"萬曆中, 自南中流寓海西之平山, 仍充步兵, 壬辰倭亂, 逃之關北, 傭賃糊口計", 年過三百歲矣. 童髮兒齒, 他無異於人, 惟自言"平日未嘗破色慾戒"云.

六更

楊誠齋詩"醉眠管得銀河鵲, 天上歸來打六更", 自注云: "予庚戌考試,

---

31 [校勘] 脹 : 저본에는 '肉+張'으로 되어 있는데, 문맥에 따라 '脹'으로 수정하였다.

殿廬夜漏[32]殺五更之後, 復打一更, 問之鷄人, 云'宮漏[33]有六更'." 余初甚異其說, 後觀蔡絛《鐵圍山叢談》稱"漢、魏以來, 警夜之制, 不過五鼓. 五更[34]已滿, 將曉之時, 則又有謂之夜漏不盡刻. 國朝文德殿鍾鼓院於夜漏不盡刻, 既天未[35]曉, 則但撾鼓六通而無更點, 不知者乃謂'禁中有六更'". 始知誠齋所謂"六更"卽五更已盡, 天色未明之際, 更撾鼓六通耳, 非果眞有六更也. 絛是蔡京季子, 政和間, 宮禁條例, 宜其備聞之.

義莊、義塾

義莊、義塾, 余平生願欲, 而迄未遂其志焉. 近見宋王闢之《澠水燕談錄》記鉛山劉輝事曰: "俊美[36]有辭學. 嘉祐中, 連冠國庠及天府進士. 四年, 崇政殿試, 又爲天下第一, 得大理評事, 簽書建康軍判官. 哀族人之不能爲生者, 買田數百畝以養之. 四方之人從輝學者甚多, 乃擇山溪勝處處之, 縣大夫易其里曰'義榮社', 名其館曰'義榮齋'." 又曰: "范文正公、吳文肅公皆有志義田, 及後登二府, 方能成其志, 而輝於初仕, 家無餘資, 能力爲之, 士君子尤以爲難." 余見范、吳二公, 爵位俸廩, 雖云不及, 視劉初仕, 不啻過之, 而迄不能成就此志. 覽此不覺愧汗久之.

---

32 [校勘] 漏 : 저본에는 '滿'으로 되어 있는데, 《성재집(誠齋集)》에 근거하여 '漏'로 바로잡았다.
33 [校勘] 漏 : 저본에는 '滿'으로 되어 있는데, 《성재집(誠齋集)》에 근거하여 '漏'로 바로잡았다.
34 [校勘] 更 : 저본에는 '鼓'로 되어 있는데, 《철위산총담(鐵圍山叢談)》에 근거하여 '更'으로 바로잡았다.
35 [校勘] 未 : 저본에는 없는데, 《철위산총담(鐵圍山叢談)》에 근거하여 보충하였다.
36 [校勘] 美 : 저본에는 '全大'로 되어 있는데, 《민수연담록(澠水燕談錄)》에 근거하여 바로잡았다.

日用節嗇

蘇子瞻在黃通, 痛自節儉, 日用不得過百五十文. 每月朔, 取四千五百錢, 斷爲三十塊, 掛屋梁上, 平朝取一塊, 給一日之用, 餘則別貯, 以給賓客. 余謂: “子瞻[37]是時, 尙有團練薄俸, 故能日用百五十耳. 如山野家食者, 何能弁此? 或用五六十, 或用二三十, 隨其家計豊嗇, 但其日有程式, 勿相浸越, 則儘可也.”

人生受用

余曾答叔弟朋來書云: “人生受用, 各有劑量, 豊嗇奇羸, 較然不爽. 考之傳紀載, 有食盡萬羊而後死者, 有食荷葉五年而竣佛像者, 雖其說弔詭不經, 亦不可謂無理. 此故吾嘗以爲顔子非簞瓢陋巷, 則定不及三十, 何曾不一食萬錢, 則李少君、長狄僑如之壽, 不足道也.” 後見《昨非庵日纂》有云: “人生衣食財祿[38], 皆是數. 若儉約不貪, 則可延壽; 奢侈過, 求[39]受盡則終. 譬人有錢千文, 日用百則可旬日, 日用五十可二旬日, 恣縱貪侈, 立見敗亡, 則一千一日用盡矣.” 又曰: “或謂: ‘人有廉儉而促, 貪侈而長者, 何也?’ 曰: ‘儉而命促者, 當生之數少也, 若更貪侈, 則愈促矣; 侈而壽者, 當生之數多也, 若更廉儉, 則愈長矣.’” 其說與余沕合, 尤覺明切.

---

37 [校勘] 瞻 : 저본에는 '瞻'으로 되어 있는데, 일반적인 인명 용례에 근거하여 '瞻'으로 바로잡았다.

38 [校勘] 祿 : 저본에는 '錄'으로 되어 있는데, 《작비암일찬(昨非庵日纂)》에 근거하여 '祿'으로 바로잡았다.

39 [校勘] 求 : 저본에는 '及'으로 되어 있는데, 《작비암일찬(昨非庵日纂)》에 근거하여 '求'로 바로잡았다.

眉毛落盡

古稱: “孟浩然眉毫盡落, 苦吟之致.” 余素不能詩, 無浩然敲推之苦, 而四十以後眉毫漸落, 今幾光濯, 何耶?

蜡蜜

東坡有〈安州老人食蜜歌〉, 蓋指釋仲殊也. 陸游《老學庵筆記》云: “其族伯父彦遠[40]言[41], 少時, 與數客過仲殊, 所食皆蜜也. 豆腐、麵觔[42]、牛乳之類, 皆漬蜜食之, 客多不能下筋. 惟東坡性嗜蜜, 能與之共飽.” 余家自古, 喜用蜜于飮饌. 如魚肉、羹臛、煨醬、葅茹之類, 亦須澆蜜些少, 以助其滋味. 余嗜蜜尤甚, 先朝時, 至徹天聽. 丁未, 余自內閣, 出守淳昌, 上語閣僚曰: “徐某今可以飫蜜也.” 蓋淳卽巖邑, 故上慮其産蜜也.

食料

宋高晦叟《珍席放談》云: “丁晉公竄朱崖, 遇異人云: ‘公無慮. 當復北歸, 以壽終.’ 公叩其由, 答曰: ‘公食料中尙有羊數口, 食之未旣爾.’ 後果來旋以正卿分司, 然後逝.” 此與李德裕食盡萬羊而死相類, 豈本一事而言者傅會耶.

---

40 [校勘] 遠 : 저본에는 ‘章’으로 되어 있는데, 《노학암필기》에 근거하여 바로잡았다.

41 [校勘] 言 : 저본에는 없는데, 《노학암필기》에 근거하여 보충하였다.

42 [校勘] 觔 : 저본에는 ‘筋’로 되어 있는데, 《노학암필기》에 근거하여 바로잡았다.

看書驅睡

白香山詩, "趁凉行繞竹, 引睡臥看書.", 蘇子瞻詩, "引睡文書信手翻.", 此二公俱以看書, 爲引睡之方矣. 余則與此相反, 每春日閒坐, 輒患睡魔所引, 則雜抽架上書, 披閱數三版, 頓覺精神淸醒, 不爲睡魔所困.

黃道

今幸行時, 御路鋪黃土, 猶之古法也. 陸游《老學庵筆記》云: "高廟駐蹕臨安, 艱[43]難中, 每出猶鋪沙籍路, 謂之黃道." 蓋以搶[44]攘中, 不廢承平時舊儀爲幸也. 但《筆記》云: "以衙兵爲之." 而我東則只使路傍居民爲之. 故一出郊, 人煙斷絶處, 則便不能備黃道之儀矣.

策題

陸遊《老學庵筆記》云: "國初擧人對策, 皆先寫策題, 然策題不過一二十句. 其後, 策題寖多, 而寫題如初, 擧人甚以爲苦. 慶曆初, 賈文元公爲中丞, 始奏罷之." 未知當時擧人試卷第一行作如何規例, 豈如我東試卷, 試官策曰"問云云", 臨殿發策曰"王若曰云云"耶? 至於策題之寖多, 其濫觴之甚, 莫如近日. 中間條問, 往往過累數十條, 不如是, 則競嗤其艸攣不成篇, 較之百餘年前, 不翅十倍矣.

---

43 [校勘] 艱 : 저본에는 '難'으로 되어 있는데, 《노학암필기》에 근거하여 바로잡았다.

44 [校勘] 搶 : 저본에는 '槍'으로 되어 있는데, 문맥에 따라 수정하였다.

神樹

《三國史》〈邴原傳〉:“遺錢拾以繫樹枝, 人効繫之者多, 遂謂之神樹.” 按: 我東亦有此俗. 每於大路嶺脊, 苟有蔽芾大樹, 往來行人, 蔭憩其下, 偶取布縷紙條, 繫于枝上. 後來者, 次次效之, 積日既久, 紅白爛如, 俗呼神王堂, 蓋亦邴原錢樹之遺俗也. 又按《五雜俎》云: “劉昌詩,《蘆浦[45]筆記》, 載〈艸鞋大王事〉, 甚可笑. 初因一人挂艸鞋於樹枝, 後來者效之, 纍纍千百, 好事者戲題曰‘艸鞋大王’, 以後, 遂爲立祠, 大著靈異.” 此又我東神王堂之堂, 我東神樹亦多掛艸鞋也.

畵指劵

今小民 訟牒, 畵指寸, 田宅賣買之劵, 往往畵指掌之狀, 此古法也.《周禮》〈小宰〉云: “聽賣買以質劑, 結信而止訟.”〈質人〉云: “大市以質, 小市[46]以劑.” 鄭康成云: “質劑, 兩書一札, 同同而別之, 長曰質, 短曰劑, 若今下手書.” 賈公彦云: “漢時下書手, 若今畵指劵.” 黃山谷云: “畵指劵, 豈今細民棄妻手摹者乎? 不然則今婢劵, 不能書者, 畵指節, 及江南田宅契, 亦用手摹也.” 據此, 則其法遠自三代至唐宋, 猶然也.

房堗之始

《呂覽》:“衛靈公天寒鑿池, 宛春諫曰[47]: ‘天寒起役, 恐傷民.’ 公曰:

---

45 [校勘] 浦 : 저본에는 ‘㴋’으로 되어 있는데,《노포필기(蘆浦筆記)》에 근거하여 바로잡았다.
46 [校勘] 市 : 저본에는 ‘事’로 되어 있는데,《주례(周禮)》에 근거하여 바로잡았다.

'天寒乎?' 宛春曰: '公狐裘, 坐熊席, 陬隅有竈, 是以不寒.'" 案: 陬隅有竈, 可以烘火取溫, 此正後世房堗之制. 有謂始自唐季者, 不考之言也.

玉堂

考沈括《夢溪筆談》云: "唐翰林院, 在禁中. 乃人主燕居之所, 玉堂、承明、金鑾殿, 皆在其間.", 則玉堂, 乃宮殿之名, 非人臣之居. 而我東弘文館, 俗呼爲玉堂, 公私通稱, 便作官職之名, 亦承襲之過也.

內閣待敎

宋朝官制, 龍圖閣待制, 居直閣之上, 不啻隔等. 陸游《老學菴筆記》云: "宋修撰煇嘗言: '曾於艱難中, 以轉餉至行在. 時方避敵[48]海道, 上大喜, 令除待制. 呂相元直, 雅不相樂, 乃曰:『宋煇係直龍圖閣, 便除待制, 太超躐. 欲且與修撰, 修撰與待制,[49] 亦只爭一等, 候[50]更有勞, 除待制不晚.』'" 據此, 可知宋時直閣之於待制, 本自隔二等也. 我東官制, 奎章閣待敎, 反在直閣之下, 爲寀下僚, 蓋建置之初, 臣僚不考之過也.

---

47 [校勘] 諫曰: 저본에는 '曰諫'이라고 되어 있는데, 《여씨춘추》에 근거하여 바로잡았다.

48 [校勘] 敵 : 저본에는 '虜'로 되어 있는데, 《노학암필기》에 근거하여 바로잡았다.

49 [校勘] 與修撰, 修撰與待制 : 저본에는 '與修撰與待制'로 되어 있는데, 《노학암필기》에 근거하여 바로잡았다.

50 [校勘] 候 : 저본에는 '侯'로 되어 있는데, 《노학암필기》에 근거하여 바로잡았다.

檢校官

檢校官, 始自東晉之檢校御史. 至唐, 自三公、三師、左右僕射至水部郎, 皆有檢校官. 宋朝因之, 元豊, 官制行並省之. 至建炎中興, 以武節度, 一轉卽入開府儀同三司, 再轉爲少保, 患其太無, 漸復置檢校、三公、三少. 蓋檢校云者, 卽檢點官事之謂, 殆與宋時權發遣、攝縣令相似. 苟其稱職, 或有直授正職者, 則視正職, 官階俱下矣. 我朝奎章閣, 自提學以下, 皆有檢校官, 皆以曾經正職人差下. 至如階至輔國, 不得兼提學, 而檢校則無拘, 與唐宋檢校官, 異矣.

辭避遭喪代

向來, 方伯、守令有在任遭艱而解, 則有父母者忌爲其代. 或謂其出於一時忌避, 而非國家經法之所揭. 然考唐史, 杜祐爲蘇州刺史, 以前刺史母喪解. 祐有母在時, 不行, 遂改饒州. 席豫爲樂壽令, 前令以親喪解, 而豫母病訴諸朝, 改懷州司倉參[51]軍. 蓋人子至情之所忌避, 在朝廷孝理之政, 不欲强拂也.

月俸

唐制, 在官者, 給防閤、仗[52]身、白直、親事、守當等人, 以供役使已. 乃

51 [校勘] 參 : 저본에는 '三'으로 되어 있는데, 《신당서(新唐書)》에 근거하여 바로잡았다.
52 [校勘] 仗 : 저본에는 '伏'으로 되어 있는데, 《신당서(新唐書)》에 근거하여 바로잡았다.

敕, 身當是役者, 出錢代役, 數各有差. 開元二十四年, 令百官防閤、庶僕俸食雜用以月給之, 總稱月俸, 則始以所入防閤、白直等顧錢、正供, 百官俸入也. 我東宰執百官之俸入, 呼爲邱債者, 亦沿襲唐制. 然多不過數十緡, 少或止四五緡, 此不足以養廉矣.

戶布

戶布之議, 始自肅宗朝. 今考《國朝寶鑑》: "太宗問筵臣曰: '戶布之斂, 何歟?' 戶曺判書李膺曰: '備軍需也.' 上曰: '雖爲軍需, 無故取民, 非法也.'" 豈國初已有戶布之斂, 而後復罷其斂耶?

宣德徵牛

《農政全書》載馮應京之說曰: "文皇帝入纘大統, 命寶源局, 鑄農器, 給山東等諸被兵處, 徵耕牛於朝鮮, 送至萬頭. 每頭, 酧以絹一疋布四疋." 此當爲實錄, 而東史無考, 尋常疑之. 近見一掌故之書, 有云: "宣德七年, 帝遣大監昌盛·尹鳳、監承張[53]定安, 勅賜綵弊, 仍令選畊牛一萬隻, 送遼東和買." 是知馮氏所紀在宣德間事, 而系之文皇時事者, 傳聞之誤也. 又按李廷馨《東閣雜記》云: "宣[54]宗皇帝嘗降勅, 令送耕牛一萬隻于遼東, 以絹布酬價. 世宗下政府、六曺議, 或欲以羅疫缺少難克萬爲辭. 上謂知申事安崇善曰: '予至誠事大, 今忽飾詐奏請, 是

53 [校勘] 張 : 저본에는 '長'으로 되어 있는데, 《세종실록(世宗實錄)》에 근거하여 바로잡았다.

54 [校勘] 宣 : 저본에는 없는데, 《동각잡기(東閣雜記)》에 근거하여 보충하였다.

所謂爲山九仞, 功虧一簣者也, 豈可乎哉!' 崇善頓首曰: '聖教允當矣.'"
此亦似一時事也.

樂成

《周禮、大司樂》注疏: "祀天神, 先圜鍾而用六變者, 以圜鍾屬卯, 而卯爲正東帝出之方, 從卯至申, 其數六也. 祭地祗, 先函鍾而用八變者, 以函鍾屬未, 而未爲西南養物之方, 從未至寅, 其數八也. 享人神, 先黃鍾而用九變者, 以黃鍾屬子, 而爲子正北陽生之方, 從子至申, 其數九也." 我朝, 風雪雷雨壇迎神六成, 社稷八成, 太室文廟用九成, 盖本於周官制度也. 先朝丙申, 制景慕宮樂成, 當時議禮之臣, 不考于此, 據以下宗廟一等之義定爲三成. 辛亥, 先大夫提擧樂院, 與僚堂李公敏輔上箚, 論景慕宮迎神之樂, 當從宗廟九變之制. 上令館閣諸臣雜議之, 議者皆從先大夫之議, 無異辭, 而上鄭重未及改定. 今見李調元《談墨錄》, 記順治中, 文淵閣大學士馮銓奏定郊廟社稷樂章云: "郊禮九奏, 宗廟六奏, 社稷七奏." 未知此又何處本也.《大淸會典》、《皇朝通考》, 當紀其詳, 而樊籠無此兩種書, 俟借瓻考証.

笙黃

周密《癸辛雜志》云: "笙黃必用高麗銅爲之." 然我國本不出銅, 豈指倭銅之自我國流入者耶? 始東人不識笙竽, 故《樂學軌範》亦不載. 英宗己丑, 先王父文靖公, 赴燕時購來, 今東人自能造笙, 疑在於華制.

凡造筆善否, 專在於簀, 俗稱金葉.

琵琶皮絃

歐陽公在滁州有詩云"杜彬琵琶皮作絃", 彬病之, 每請[55]公改之. 按段成式《酉陽雜俎》云: "古琵琶用鵾鷄股. 開元[56]中, 段師能彈琵琶, 用皮絃. 賀懷智破撥彈之, 不能成聲." 歐詩所謂"皮絃"者, 蓋本於此.

古今度量

徐玄扈《農政全書》論古今斗升之不同, 引"廉頗五斗"、"孔明數升", 謂古量較今忒小. 今案《西京雜記》廣川王[57]發晉靈公冢,[58] 有"玉蟾蜍一枚, 大如拳, 腹空, 容五合." 若便爲升同今升, 則大堇如拳之物, 安得受五合水耶? 此亦可証古量之忒小.
徐玄扈謂: "古今斗斛絕異." 且曰: "《周禮》'食一豆肉, 飮一豆酒, 中人之食也', 孔明每食不過數升, 而仲達以爲食少事煩. 若如今斗, 則中人豈能頓盡?【案《左傳》四升爲豆,《周禮》所謂'一豆'即四升之量耳, 非謂一斗也. 然四升肉, 四升酒, 非中人一時頓盡之物.】'孔明數升', 已自不少, 而'廉頗五斗', 得無大多?" 其說信矣.
《農桑輯要》即元至元年間所撰, 而其註《齊民要術》"畝收十石"之

55 [校勘] 請 : 저본에는 '靖'으로 되어 있는데, 문맥상 '請'으로 수정하였다.
56 [校勘] 開元 : 저본에는 '間元'으로 되어 있는데, 《유양잡조(酉陽雜俎)》에 근거하여 바로잡았다.
57 [校勘] 廣川王 : 저본에는 '魯恭王'으로 되어 있는데, 《태평어람(太平御覽)》에 근거하여 바로잡았다.
58 [校勘] 冢 : 저본에는 '家'로 되어 있는데, 《태평어람》에 근거하여 바로잡았다.

文曰: "一石, 今二斗七升, 十石, 今二十七斗." 如此則元時斗斛之制, 視後魏三倍而有餘, 此亦可証古今斗斛之不侔矣. 然《漢志》"龠容一千二百黍, 二龠爲合, 十合爲升", 則是一升之實洽爲二萬四千黍矣. 余嘗秬黍中者, 實于今人常用之十合升而計之, 得二萬二千三百十零, 比古升, 尙欠一千六百六十餘黍. 是知我東升斗之制, 猶之近古, 而中國後世斗斛失之過大也. 柳皤溪云"我國斗小, 未必爲失; 中國大斗, 未必爲是", 豈有見于此耶?

沈括《筆談》云: "予考樂律, 又受詔改鑄渾儀. 求秦漢以來度量, 計六斗當今之一斗七升九合, 秤三斤當今十三兩." 據此, 則宋時權量較古制不翅三倍有餘矣. 然范文正論姑蘇水利曰: "豐穰之歲, 春役萬人, 人食三升, 一月而罷,[59] 用米九千石; 荒歉之歲, 日以[60]五升召民爲役而賑濟, 一月而罷, 用米萬五千石.[61]" 人食三升者, 一日三時, 每食一升之謂也. 日食五升者, 爲賑濟饑民, 而更優其數也. 此與 "孔明數升", 何異? 徐玄扈論文正此言曰"宋時斗斛也, 勿嫌其多", 亦謂宋時斗斛之忒小也. 証之沈說, 大相徑庭可疑.

沈又云: "漢一斛當今二斗七升." 然則宋時斗斛三倍於古, 而又餘一斗矣. 范文正所謂"日食五升"者, 已古量計之, 幾爲二斗弱, 此豈一人一日之食? 沈又論師行運糧之法曰: "米六斗, 人食日二升, 二人食之, 十八日盡." 我東斗升最小, 較古量, 有不及無過, 而雖健食者, 不過每飯一升. 無古今飯食之量之量,[62] 宜無懸絕之理, 則宋時斗斛, 又似較古不

---

59 [校勘] 一月而罷 : 저본에는 없는데, 《범문정집(范文正集)》에 근거하여 보충하였다.

60 [校勘] 以 : 저본에는 '食'으로 되어 있는데, 《범문정집》에 근거하여 바로잡았다.

61 [校勘] 萬五千石 : 저본에는 '五千石'으로 되어 있는데, 《범문정집》에 근거하여 '萬'을 보충하였다.

62 [校勘] 之量 : 문맥으로 볼 때 중복된 말로 보이나, 분명하지 않다.

甚相遠. 沈又曰: "運糧[63]之法, 人負六斗, 馳負三石, 馬騾一石五斗, 驢一石." 其言任載輕重, 與我東斗斛亦似不甚遠. 若以宋時斗斛三倍於古量計之, 則一人負二十斗有餘, 馬騾載五十斗有餘, 驢載三十斗有餘矣, 何以勝任而趨千里? 此皆可疑者也.

《後漢書》: "永和二年, 日南象林蠻夷攻象林, 圍侍御史賈昌, 廷議發荊、揚、兖[64]、豫兵赴之. 李固議曰: '軍行三十里爲程, 而去日南九千餘里, 三百日乃到. 計日稟五升, 用米二十萬斛.'" 唐章懷太子注曰: "古升小, 故曰五升也." 此亦隨唐以後, 權量變改之一証也.

錢十兩爲一貫. 《晁氏客語》[65]云"師樸[66]入寺歸, 魏公問所買之物, 云'千三'. 魏公責之曰: '此俚巷之談, 非對尊長辭也, 何不云一貫三百?'", 是也. 東人呼一百錢爲一貫者誤.

《儀禮》鄭玄註云"七尺曰仞, 八尺曰尋", 《尙書》孔安國傳云"八尺曰仞", 二說不同, 未詳孰是. 朱子注《論語》"夫子之墻數仞", 則從包註曰"七尺曰仞", 注《孟子》"掘井九軔", 則從趙注曰"八尺曰軔", 同出於朱子, 而有此參商, 何耶?

限田

魏冰叔嘗自言著《變法三策》, 而某文集但有〈宦官〉, 〈制科〉二策, 而〈限田策〉則不載焉. 余求之久矣, 而終不得. 今見其《日錄》有曰: "井

63 [校勘] 糧 : 저본에는 '量'으로 되어 있는데, 문맥상 '糧'으로 수정하였다.

64 [校勘] 兖 : 저본에는 '六允'으로 되어 있는데, 《후한서(後漢書)》에 근거하여 바로잡았다.

65 [校勘] 晁氏客語 : 저본에는 '晁氏客話'로 되어 있는데, 《조씨객어(晁氏客語)》에 근거하여 수정하였다.

66 [校勘] 師樸 : 저본에는 '師朴'으로 되어 있는데, 《조씨객어(晁氏客語)》에 근거하여 바로잡았다.

田旣不可行, 均田亦不可行. 惟限田不失古意而可行, 然前人皆以法繩之, 亦于人情不順. 惟蘊洵田制近之, 又未有畫一之法. 予覃思五年, 作〈限田〉三篇. 其法: 一夫百石, 止出十一正賦, 過百石者, 等而上之, 加以雜差. 若田多者, 賣與無田之人, 或分授子孫, 百石不過, 則仍止出正賦. 是同此田也, 貧者得之則賦輕, 富者得之則賦重. 所以驅富民賤賣, 而田不必均而可均矣. 私謂三代以後最爲善法, 質諸君子, 亦皆歎服. 獨家伯子以爲不可, 謂: '苟行此法, 天下必自此多事. 且後世天下之亂, 止在官府縉紳貪[67], 殘民不聊生, 不系富人田多、貧民無田. 苟刑政得理, 民自樂業, 何必紛紛爲此也?' 浙江秀水曹侍郎【名溶, 號秋岳.】則謂: '此法議之南方尤可, 若北方貧民傭田者, 皆仰給牛種, 衣食于多田之富戶. 今即每夫分以百畝, 耕作所須, 色色亡有, 田漸荒而賦不可減, 數年之後, 唯有逃亡, 況望其以賤價買諸富民乎?' 陝西涇陽楊蘭佩【名敏芳】則謂: '田賦倏輕倏重, 朝無成法, 官無定規, 吏因作奸, 民多告[68]訐. 非天下縣官人人賢能, 則擾亂方始矣.' 予以三君言, 反復思索, 凡數夜不寐, 乃焚其稿. 因筆記于此, 以見變[69]法之難爲, 獨見之難任. 人當國事, 切不可輕試紛更也." 得之說, 然後始知〈限田策〉之旋付回祿, 非果文集之缺漏也. 其策初謂必有可觀, 今於《日錄》所記, 亦可欽略其意. 後世論限田諸家中, 最爲煩擾, 視林勳《本政書》, 又風斯下矣. 張潮評曰:"富民之田, 不知田價從何出, 恐貧者未必富而富者已先貧矣. 大抵當今治道, 惟宜以保富民爲急務. 盖一富民能養千百貧民, 則是所守約而所施甚博也." 是說亦見一班也.

---

67 [校勘] 貪 : 저본에는 '貪賤'으로 되어 있는데, 《일록잡설》에 근거하여 바로잡았다.

68 [校勘] 告 : 저본에는 '苦'로 되어 있는데, 《일록잡설》에 근거하여 바로잡았다.

69 [校勘] 變 : 저본에는 '改'로 되어 있는데, 《일록잡설》에 근거하여 바로잡았다.

區田

《後漢書》注引《氾勝之書》曰: “上農區田法: 區方深各六寸, 間去七寸. 一畝三千七百區. 丁男女種十畝, 至秋收區三升粟, 畝得百斛; 中農區田法: 方七寸, 深六寸, 間相去二尺. 一畞千二十七區. 丁男女種十畝, 秋收粟, 畝得五十一石; 下農區田法: 方九寸, 深六寸, 間相去三尺. 秋收畝得二十八石. 旱卽以水沃之.” 與《齊民要術》所引, 少有出入, 未知孰是原本也.

濕耕澤鉏

諺曰: “濕耕澤鉏, 不如歸休.” 此言濕不可耕鉏也. 韓氏《詩外傳》曰: “枯耕傷稼, 枯耘傷歲.” 此言旱不可耕耘也. 故良農兢兢乎得中. 農書曰: “乾濕得所.” 此之謂也.

神農許行之書

宋韓淲《澗泉日記》云: “神農、許行之書, 他無所攷[70]. 《呂氏春秋》上農、任地、辨土、審時四論必其書也.” 呂氏四論, 其言農理也切矣. 然謂必出於神農、許行則未可知矣. 許行未聞有著述, 況神農之世乎?

---

70 [校勘] 攷 : 저본에는 ‘放’으로 되어 있는데, 《간천일기(澗泉日記)》에 근거하여 바로잡았다.

棉餠飼牛

李調元《南越筆記》云: “廣州人以吉貝核渣飼牛, 乃肥有力. 核中有仁榨油已, 其渣尙有潤澤, 故牛嗜之.” 按: 吉貝核渣卽農書所謂棉餠也. 我東農家亦或以棉餠飼牛, 謂能耐寒. 苟遇豆歉, 宜多蓄棉子榨油, 以其渣飼牛, 或直以碾過棉核餵之.

溫泉催苗

水田灌漑之水, 溫則催苗, 冷則傷稼.《明一統志》云: “應府東北有半湯湖, 同一壑, 而冷熱相半. 熱可淪雞, 民引熱水漑田, 一歲兩熟.” 據此, 則我東溫泉之水, 最宜漑田養苗.

金城方略

趙充國金城方略盛言屯田之利, 後世遂以屯田積穀爲禦戒之長策. 然考充國本傳, 馳至金城圖上方略, 翌年五月遽已旋凱. 五月非收穫之時, 則其所謂屯田, 蓋未曾收得一粒穀耳. 異常疑訝. 今見趙彦衛[71]《雲麓[72]漫抄》其論充國屯田, 頗得古名將權術, 今載其全文于此. “趙充國屯田事, 乃兵家計策, 不惟宣帝與漢庭諸公, 先零、罕、幵爲惑, 班

71 [校勘] 衛 : 저본에는 ‘樹’로 되어 있는데, 《운록만초(雲麓漫抄)》에 근거하여 바로잡았다.
72 [校勘] 麓 : 저본에는 ‘錄’으로 되어 있는데, 《운만록초(雲麓漫抄)》에 근거하여 바로잡았다.

固亦不識其幾. 漢用兵皆調發於[73]郡[74]國, 千里行師, 遇虜輒北[75]. 今罕、幵等羌亦烏合, 充國知其不能久. 故慫以計挫之, 但云'兵難險度, 願[76]至金城圖上方略.' 及到彼, 但慫爲留屯計, 凡與漢庭往復論者, 不過糧艸多寡耳, 幾初不露也. 羌人見其設施出於料之外, 實不可久留. 故輸疑而退, 趙亦奏凱而還. 在邊不過自冬徂夏, 元不曾收得一粒穀, 想亦不曾下種. 不然, 五月穀將穗, 那肯留以遺羌耶? 論者不以時月考之, 每語屯田必爲稱首, 可笑."

牛耕之始

《宋景文筆記》云: "古者牛惟服車, 故《易》曰'服牛[77]乘馬', 漢趙過始敎人用牛耕." 按: 牛耕始, 自后稷之孫叔昀, 安得謂始自趙過?《漢食貨志》記趙過代田法云: "人或無牛, 不能趨澤, 平都令光敎過以人挽犁耳." 未嘗言牛耕始自趙過也.

余嘗引后稷孫叔昀始作犁之說, 以證《宋景文筆記》之誤. 今考宋韓淲《澗泉日記》云: "晁子止曰: '王弼解或繫之牛, 以牛爲稼穡之資. 按古以人耕, 以牛代之, 自趙過始, 弼之誤也昭昭.'" 此亦因景文之誤耳.《四庫全書》総纂官紀昀等案說云: "趙過始爲牛耕, 見《齊民要術》,《宋祁筆記》亦引此說, 以證王弼之誤. 然《山海經》'後稷之孫叔昀是始作犁', 註'用牛耕也'. 犁,《說文》作'黎', 註'耕也', 又犎, '兩

73 [校勘] 於 : 저본에는 '圭'로 되어 있는데, 《운만록초》에 근거하여 바로잡았다.
74 [校勘] 郡 : 저본에는 '部'로 되어 있는데, 《운만록초》에 근거하여 바로잡았다.
75 [校勘] 北 : 저본에는 '今'으로 되어 있는데, 《운만록초》에 근거하여 바로잡았다.
76 [校勘] 願 : 저본에는 '顧'로 되어 있는데, 《운록만초(雲麓漫抄)》에 근거하여 바로잡았다.
77 [校勘] 牛 : 저본에는 없는데, 《주역 계사 하》에 근거하여 보충하였다.

壁耕也, 一曰覆耕種也', 二字皆從牛, 是耕之用牛, 自叔昀始, 其來已古. 故冉[78]耕以伯牛爲字, 義更灼然易見. 崔寔《政論》云: '漢武帝時, 趙過爲搜粟都尉, 教民耕植, 其法三犁共一牛, 一人將之, 下種挽摟, 皆取備焉.' 然則過特於牛耕之中, 又變通古法而利其用, 非謂自過創始也." 此說與余沕合, 益祥且備, 而但昀作均, 當更考《山海經》本文.

馬喜高寒

李心傳《朝野雜記》云: "馬喜高寒, 非炎方所利." 我東監收之設於南海島中, 皆非其地, 宜移設西北間曠地方.

西漢畜牧之盛

《西京雜記》記玄菟曺元理筭其友人陳廣漢之畜産云: "千牛産二百犢, 萬鷄將五萬雛." 西漢富人家畜牧之盛有如此.

78 [校勘] 冉 : 저본에는 '再'로 되어 있는데, 《간천일기(澗泉日記)》에 근거하여 바로잡았다.

금화경독기

金華耕讀記

권 7

油煙墨

自古制墨, 純用松煤, 宋、元以來, 或用油煙而亦絶罕. 宋趙彦衛《雲麓漫抄》曰: “歐陽季默以油煙墨二, 遺東坡[1], 坡謝以詩, 有云: ‘書窓拾輕煤, 佛[2]帳掃餘馥, 辛勤破千[3]夜, 收此一寸玉.’ 蓋是掃燈煙爲之. 邇來墨工以木槽盛水, 中列麤椀[4], 然以桐油, 上復覆以一椀, 專人掃煤, 和以牛膠, 揉成之. 其法甚快, 便謂之油煙. 或訝其大堅, 少以松節, 或漆油同取煤, 尤[5]佳.” 我東制墨, 純用荏油煙, 其或用松煤者, 色惡不堪用矣. 但趙氏所云大堅之病, 東墨尤甚, 略入松煤宜矣.

東紙

中州人最重東紙, 嘗見周密〈思陵書畵記〉,[6] 紹興內府所藏法書、名畵,[7] 裝褾裁制, 具有品第, 其上等兩漢、三國、二王、六朝、隋、唐君臣眞跡, 及上中下等唐人眞跡, 皆用高麗紙贉, 次等[8]以下, 或用蠲紙贉, 或用楷光紙贉. 宋人之寶重高麗紙, 認爲天下第一, 此可知矣. 而我東

1 [校勘] 東坡 : 《운록만초》 권10에는 없다.
2 [校勘] 佛 : 저본에는 ‘拂’ 자로 되어 있는데, 《운록만초》 권10 및 《동파전집(東坡全集)》 권19 등에 근거하여 ‘佛’자로 수정하였다.
3 [校勘] 千 : 저본에는 ‘子’ 자로 되어 있는데, 《운록만초》 권10 및 《동파전집》 권19 등에 근거하여 ‘千’ 자로 수정하였다.
4 [校勘] 椀 : 저본에는 ‘捥’ 자로 되어 있는데, 《운록만초》 권10에 근거하여 ‘椀’ 자로 수정하였다.
5 [校勘] 尤 : 《운록만초》 권10에는 ‘甚’으로 되어 있다.
6 [校勘] 思陵書畵記 : 저본에는 ‘思淩畵書紀’로 되어 있는데 《설부(說郛)》 권88에 근거하여 수정하였다.
7 [校勘] 畵 : 저본에는 ‘晝’로 되어 있는데, 《설부》 권88의 〈사릉서화기〉에 근거하여 수정하였다.
8 [校勘] 等 : 저본에는 ‘第’로 되어 있는데, 《설부》 권88의 〈사릉서화기〉에 근거하여 수정하였다.

紙品實甚麤劣, 湖南全州、南原之産, 素號國中第一, 而亦患穬硬麤. 以之摹印圖籍, 則卷軸太重, 以之褙贉書畵, 則勁悍不便卷舒. 卽毋論歙紙、蜀繭, 視諸日本紙品, 亦無異碔砆之於良玉, 豈匠造之今不如古[9]而然耶? 抑華人之貴之者, 特以外國之産而貴之耶?

側理紙

今湖南全州、南原等地, 用水苔爲紙, 呼曰苔紙, 卽古之側理紙也. 陸友仁《硏北雜志》云: "晉武帝賜張華側理紙萬番, 南越所獻也. 南人以海苔爲紙, 其理縱橫斜側, 因以爲名." 又曰: "陟釐卽[10]水苔, 漢人言陟釐, 與側理相亂." 據此, 則今之苔紙, 亦可名陟釐紙矣.

靉靆

靉靆古未有也. 皇明時, 來自西洋, 詑爲奇寶, 價直一匹良馬. 今殆遍天下, 三家村裏挾兎園冊子者, 無不掛靉靆也. 夏月宜用水晶造者, 寒月宜用玻瓈造者, 水晶者, 寒月冷氣逼眼, 不可用也. 倭造者, 亦往往有佳品. 我國慶州, 亦出烏水晶, 可爲靉靆. 然琢磨粧造, 不如華倭之美也.

---

9 [校勘] 古 : 저본에는 '今'으로 되어 있는데, 문맥에 따라 '古'의 오기로 판단하여 수정하였다.
10 [校勘] 卽 : 《연북잡지(硏北雜志)》 권上에는 '乃'로 되어 있다.

懶版

《梁溪漫志》, 記東坡懶版, 但稱縱橫三尺, 偃植以受背, 而不詳[11]言其制. 要當如今臥床之制, 而短小方正, 後面設靠, 背微偃以受偃息淸齊. 書側可置一坐, 每對案鈔書之餘, 覺神倦, 則輒閉目偃倚, 以養精神.

摺疊扇

《賢奕編[12]》云: "摺疊扇一名撒扇. 收則摺疊, 用則撒開. 始於永樂中, 因朝鮮國進貢, 上喜其卷敍之便, 命工如式爲之." 案: 東坡有〈高麗松扇〉詩, 卽摺疊之制, 謂自永樂始者, 妄也. 其制本自日本, 要當以輕少便於袖齎爲貴. 今嶺、湖南造者, 務尙長濶, 長幾一尺五六寸, 展之濶過二尺. 用矢旣多, 不得不薄削如紙, 全不鼓風, 且不能耐久. 豪貴月易一扇, 夏畦馬醫之踐, 亦必歲易一扇, 嶺、湖營邑歲費累百萬錢, 削造以遺. 朝貴知舊東南竹箭之美, 日益童濯, 而不知節, 誠非計也. 齊中宜用華造棕[13]櫚, 邊者倭造泥金畵者. 華倭之扇, 雖短小, 矢極勁悍, 且兩面糊紙, 最能鼓風也.

團扇

曾見一燕譯携來團扇, 用棕櫚葉爲扇, 棕櫚枝爲柄, 製極精雅, 亦能

11 [校勘] 詳 : 저본에는 '祥'으로 되어 있는데, 문맥상 '詳'의 오류로 보아 수정하였다.

12 [校勘] 編 : 저본에는 '論'으로 되어 있는데, 《현혁편(賢奕編)》 서명에 근거하여 바로잡았다.

13 [校勘] 棕 : 저본에는 '宗'으로 되어 있는데, 다수의 용례에 근거하여 '棕'으로 수정하였다.

鼓風. 按: 椶葉作扇, 其來已久.《晉陽秋》謝太傅: "鄕人有罷中宿縣, 詣安, 安問歸資. 答曰: '唯有五萬蒲葵扇', 安乃取其中者執之, 其價數倍." 蒲葵卽椶櫚一名也.

鹽井

我國三面環海, 通國皆食海塩, 如澤鹽、井鹽諸種, 竝未之聞焉. 唯湖南茂長縣西三十五里黔堂浦邊二里, 有井水白醎, 土人候潮退, 競用桔槔汲之, 煮爲鹽. 不勞曬曝, 多收其利, 謂之鹽田.

石炭

石炭, 自六朝時已有之.《水經》魏土記: "枝渠東南火山, 出石炭, 火之熱, 同樵炭." 是也. 宋趙時, 河北、河東、山東、陜西、汴京處有之, 東坡亦有除州石炭詩. 今則益盛行於燕蘇之間, 而樵炭幾於熄矣. 我東關北、關西, 俱出石炭. 余嘗得數枚, 色黑而質脆, 熱之能引火可經一兩日之久, 如得推廣其用, 則亦利用厚生之一端也.

石灰木

朴判書綺壽, 丁酉以上价赴燕. 燕士葉東卿贈木造火爐, 熾炭不焦, 卽古人所謂不灰之木, 而莫知其何名. 近見陶宗儀《輟耕錄》云: "回紇野馬川有木曰鎖鎖, 燒之, 其火經年不滅, 且不作灰. 彼處婦女取根製帽, 入火不焚." 疑此爐亦用鎖鎖木造也.

樅檜

或以今俗所謂老松, 謂卽樅, 非也.《爾雅》云: "松葉柏身曰樅." 今老松葉似柏而尖硬, 全不類松, 其非樅明矣.《文選》註, 引魯連子曰: "東方有松樅, 高千仞而無枝" 蓋樅之爲樅, 以其疎直高聳也. 今老松率多柯礧, 鮮有三五丈者, 其非樅明矣.《漢》,〈霍光傳〉有 "樅木外藏槨十五具" 之文, 郭璞注《爾雅》云: "今太廟梁材用樅" 樅固是高大, 可爲樑柱棺槨者也. 今老松每多蟠屈偃, 蓋不任作材, 其非樅明矣. 孔氏註《禹貢》〈栝柏〉曰: "柏葉松身", 李時珍《本草綱目》云: "栝葉尖硬",《和漢三才圖會》云: "栝高者二丈餘, 樹皮似杉及檜, 而材不堪用, 葉似柏而尖硬, 微似形, 甚茂盛. 其枝椏隱, 不見葉與身皆曲, 俗呼柏杉, 又云一種跋. 柏杉葉似栝, 而跋行横延數丈, 植之庭砌, 撓爲龍虎船車之形". 合此數說而觀之, 則東人所謂老松, 卽中華所謂栝, 倭人所謂柏杉也.

東人所謂檜, 卽中華之樅也. 會者曲也, 檜多盤曲, 故從木從會. 陸游《老學菴筆記》云: "海檜, 夭矯堅瘦, 土檜, 刻削盤屈而成."《和漢三才圖會》云: "柏直枝, 檜曲枝, 檜實纍纍, 似杉實而無刺." 今東人所謂檜, 皆高聳挺直, 大者可數十仞, 與華所謂檜, 全不相類.《和漢三才圖會》云: "樅樹皮有横理, 與柏檜不同, 其葉頗似榧, 其實似松毬而細長, 其中子亦如松子. 其材用爲櫃箱, 性不耐水濕, 故不宜爲柱." 樅之爲東人所謂檜無疑, 而中國所謂檜, 在吾東未知其居何也.

葉少蘊《避暑錄話》云: "松磊落昂藏, 似孔北海, 檜深密紆盤, 似管幼安, 杉豊腴秀澤, 似謝安石, 柏奇峻堅瘦, 似李元禮[14]." 吾東所謂檜之不可以冒檜名也.

葉少蘊《避暑錄話》云: "白樂天手植檜在蘇州宅, 後政和初人未見之相距四百年, 而高不滿二丈." 又曰: "長興大雄寺陳覇先宅, 廷有大檜, 中空裂爲四枝, 蔭半庭, 質如金石." 詳此數說, 豈東人所謂檜之所可彷佛耶?

余嘗據葉少蘊《避暑錄語》、陸游《老學菴筆記》, 以証吾東所謂檜之非檜也. 近見宋韓拙《山水純全集》論畵檜法云: "檜者松身柏皮, 會於松柏, 故名曰檜. 其枝橫肆而盤屈, 其葉散而不定." 此蓋可証前說矣.

馬藺

馬藺,《圖經本草》云: "葉似薤而長厚. 三月開紫碧花, 五月結實, 作角子如麻大而赤色, 有稜根細長, 通黃色, 人取以爲刷." 按詳此, 卽東人所稱紫刷草也. 處處山坡有之, 其萼方吐未開時, 形似筆尖. 其根纖長叢毿, 硬如針刺, 今人取作馬刷子. 或以今所謂筆花草爲卽馬藺, 則誤也. 今所謂筆花草, 其根一似竹根, 不可作刷也.

桐油

中國桐油之用甚博. 我東獨不知蒔藝油桐, 故鮮有知桐油之爲何物者, 宜購種傳殖之.《和漢三才圖會》云: "桐油江州、濃州多種之搾油." 是知倭亦傳其種矣. 苟不得得之中州, 則購之對馬島, 亦可得矣.

14 [校勘] 禮 : 저본에는 '膺'으로 되어 있는데,《피서록화(避暑錄話)》에 근거하여 바로잡았다.

女貞

或謂我東無女貞木者, 誤也.《本草綱目》云: "女貞與冬青, 一類二種, 皆因子自生, 最易長. 其葉厚而柔長. 女貞, 葉長者四五寸, 子黑色; 冬青, 葉微圓, 子紅色爲異耳. 二樹皆花繁, 子累累滿樹, 冬月鸜鵒喜食[15]之. 今人不知女貞, 但呼爲蠟樹. 立夏前後取蠟蟲種, 裹置枝上, 半月其蟲化出, 延緣枝上. 造成白蠟."《和漢三才圖會》云: "女貞木, 葉似海石榴而無鋸齒, 故名姬海石榴. 其子團長, 初青, 熟正黑, 似鼠屎, 鸜鵒喜食之. 但葉長不過二寸, 其文理不出于端, 與他葉不同." 李時珍以爲"葉長四五寸", 豈土地之異耶? 二書所謂葉萼花實, 皆今俗所謂鼠矢木, 謂吾東無女貞者, 妄也. 但女貞之爲女貞, 以其凌冬不凋, 蘇頌所謂: "負霜蔥翠, 振柯凌風, 淸士欽其質而貞女慕其名." 是也. 余家園囿有數株, 叢其葉如石榴, 實如鼠屎, 里中見呼爲鼠屎木. 每夏秋之交, 有野蠟緣樹吐蠟, 其爲女貞無疑. 而但冬輒葉脫, 與凡木同, 殊不可曉. 豈風土不並女貞不女貞耶? 余著《杏蒲志》謂: "女貞即我國俗所謂矢屎木", 而未之有証. 李德懋官曾於先朝庚戌承命編纂《武藝圖譜通志》. 其按說有云: "女貞, 俗所稱鼠矢木, 以其子熟似之也." 其說與余不謀而同, 亦可驗人見之大同也.

芋

芋,《史記》〈貨殖傳〉作蹲鴟, 東人呼爲土卵. 陳后山《詩話》云: "老杜

---

15 [校勘] 食 : 저본에는 '色'으로 되어 있는데,《본초강목(本草綱目)》에 근거하여 바로잡았다.

所謂黃獨, 即《本草》之赭魁. 江東謂之土芋, 江西謂之土卵. 煮食之, 類芋魁.” 豈俗名之偶同耶? 抑東人所謂土卵非芋魁, 而乃老杜所稱黃獨是耶?

鼠狼

董越《朝鮮賦》有狼毛筆之語, 或謂狼是深山稀有之獸, 安得之其尾爲筆? 此傳聞之訛也. 今攷《本草》, “鼬能捕鼠及禽[16]畜, 故一名鼠狼, 其尾可作筆.” 是知董所謂狼卽鼠狼之謂. 而今俗所用黃毛筆, 皆鼬鼠之尾也. 俗呼獷毛, 然獷本非獸名. 惟字書云: “獷, 犬名.” 而亦不言其形色, 其呼鼬爲獷, 未知何義也. 朴趾源《熱河日記》謂即禮鼠, 此又誤矣. 禮鼠即穴處小處, 見人拱立, 若揖之狀.《詩》所謂“相鼠有體”, 韓文公所謂“禮鼠供而立”者, 是也. 其尾不可爲筆.
《張谿谷集》有《筆說》云: “獸有鼠屬而黃者, 俗呼爲黃獷. 尾有秀毛, 可爲筆.” 是以鼠狼爲獷也. 獷爲犬名, 谿谷之以鼠狼爲獷, 未知何所本也.

鯢魚

諺有‘鮎魚上竹’之語, 蓋反語也. 竹已光滑, 鮎魚又粘滑, 萬無緣上竹竿之理. 故梅聖俞預修《唐書》, 將得館職, 謂其妻刁[17]氏曰: “吾以猢猻

16 [校勘] 禽 : 저본에는 ‘擒’으로 되어 있는데, 《본초강목》에 근거하여 바로잡았다.
17 [校勘] 刁 : 저본에는 ‘謝’로 되어 있는데, 《귀전록(歸田錄)》에 근거하여 바로잡았다.

入布袋.” 刁氏曰: “君于仕宦[18], 何異鮎魚上竹竿?” 亦言其難進也. 羅願《爾雅翼》乃云: “鮧[19]魚善登竹, 以口銜葉而躍於竹上.” 復引諺語以實之, 以爲眞有是事, 尋常莫曉其何謂. 偶考《本草綱目》云: “孩兒魚, 形色皆如鮎, 腹下有翅似足, 其生溪澗中, 能上樹, 一名鯢魚.” 始知羅氏云云蓋誤以鯢爲鮎耳.

倭松

倭松, 文理奇緻, 與我東松材大異. 宋李心傳《朝野雜紀》: “淳熙中, 作翠寒堂于禁中, 以日本國松木爲之, 不施丹雘, 其白如象齒.” 倭松之貴於天下, 自古伊然矣.

樺

谷應泰《博物要覽》云: “樺木生遼東及臨洮、河州、西北諸地, 木色黃, 有小班點紅色, 能收肥膩. 其皮厚而輕虛柔軟, 皮匠家用以襯靴裏及爲刀鞘[20]之類, 謂之暖皮. 胡人尤重之. 以皮卷蠟, 可做燭點. 又樺木皮上有紫黑花勻者, 可裹馬鞍弓鐙, 又云樺皮. 畫家以其皮燒煙薰紙, 作僞古畫字, 故名檴, 俗省作樺字也.” 按: 我東關北產此木, 白頭山下, 彌滿成林, 皆合抱之木. 土人剝其皮以貨于四方, 可以襯裹弓背, 又可作細小條, 醮硫磺爲引光奴. 樺皮最能耐水, 深北民家用以蓋

---

18 [校勘] 宦 : 저본에는 ‘官’으로 되어 있는데, 《귀전록》에 근거하여 바로잡았다.

19 [校勘] 鮧 : 저본에는 ‘鮎’으로 되어 있는데, 《이아익(爾雅翼)》에 근거하여 바로잡았다.

20 [校勘] 鞘 : 《본초강목(本草綱目)》에는 ‘靶’로 되어 있다.

屋, 十年不敗. 又能入土不腐, 北民藁葬者, 用此皮裹屍, 千年不敗云.

丁公籐

李調元《南越筆記》云: "丁公籐蔓生, 著地高尺許, 葉長二寸, 面綠背微白. 傷風者以一二葉煮酒服之, 汗下如雨, 即愈." 按: 東人治風痰, 用馬價木釀酒, 謂即丁公籐者, 誤也.

代赭石

代赭石, 一名土朱, 卽今俗所謂朱土也.《西山經》云: "石脆之山, 灌水出焉. 中有流赭, 以塗牛馬無病." 郭璞[21]注"赭, 赤土也. 今人以塗牛角, 云辟惡." 今俗每當牛瘟熾盛之時, 塗朱土于牛兩角, 謂能辟瘟, 盖古方也.《東醫寶鑑、湯液》《本草》註赤土, 曰: "辟鬼魅. 塗牛馬, 辟瘟疫", 益用《本草》代赭石注, 則是認赤土爲代赭石矣.《本草》代赭石與赤土, 各見土、赤部, 而注代赭石則曰, "辟鬼魅, 塗牛角, 辟惡", 注赤土曰, "治湯火傷"而已. 是知《本草》所謂赤土卽赤埴土, 非代赭石也. 注《寶鑑》者, 見郭璞卽今赤土之說, 遂以代赭之注, 移錄于赤土之下, 而其注代赭石, 又仍用 '殺精物, 塗牛馬, 辟疫' 之文, 則不自知其兩處疊解, 而赤埴土性味、功用, 仍見漏矣. 注《本草》誤者, 此類是耶.

21 [校勘] 璞 : 저본에는 '僕'으로 되어 있는데,《산해경(山海經)》에 근거하여 바로잡았다.

一寸椹

秦始皇遣徐福入海, 求金菜、玉蔬、并一寸椹. 今關東三陟地産桑椹, 極大且長, 長者恰爲周尺一寸, 此可謂一寸椹也.

觀音竹

今爇烟草之竹, 皆産嶺湖南, 其節促而理硬者, 俗呼觀音竹. 視他竹最能耐久, 獨不知其命名之意. 偶考馬歡《瀛涯勝覽》, "占城國産觀音竹, 狀如藤, 長大八尺許, 色如黑鐵, 每節約二三寸.[22]" 是知我東觀音竹之得名, 亦以其節促而冒之也.

吸毒石

朴趾源《熱河日記》, "吸毒石, 棗子大. 青黑色, 小西洋一種毒蛇頭裏生石, 能治蛇、蝎、蜈蚣諸蟲咬傷, 并治癰疽、一切毒瘇、惡瘡. 卽將石置傷處, 石自緊粘不落, 吸毒盡時, 石自離落, 患可除痊[23]. 須預備人乳一鍾, 急將石浸之, 候至乳色略綠, 卽洗清水, 净抹收貯, 以待後用. 若浸乳稍遲, 則石毒過出, 久後無靈." 按: 余家舊有是石, 先大夫赴燕時購來者也. 丙寅仲父明臯公謫湖南楸子島, 島中多蛇、蝎、蜈蚣, 伯

---

22 [校勘] 每節約二三寸 : 저본에는 "每寸約二三節"로 되어 있는데, 문맥이 통하지 않아 "每節約二三寸"으로 수정하였다. (羅曰褧《咸賓錄》〈南夷志〉一、占城 : "其產……觀音竹(如藤, 長二丈, 節長二三寸, 色黑如鐵)." 참조)

23 [校勘] 除痊 : 저본에는 '徐瘮'으로 되어 있는데, 《열하일기》에 근거하여 바로잡았다.

氏齎此石送之. 又聞李忠憲公潡舊宅, 亦有此石, 不但治虫毒癤腫, 亦能已瘧云. 山居不可闕者也.

松耳

松耳, 山蔬之最饒風味者. 余嗜之尤甚, 每以爲"松耳之美專在於茸, 其傘則頗遜焉, 蓋愈嫩愈美也." 偶見楊誠齊詩曰, "傘不如笠釘勝笠", 可謂先得我心矣. 中州人呼爲松滑.

丁公實

丁公實【丁公卽馬價木】、黃柏實、蒼朮、天南星、稉米, 等分釀酒, 仍燒露再次. 隨重飮取汗, 治風痰、不收極有驗.

蒼耳

《唐本艸》云: "大風、癲癎、頭風、濕痺, 毒在骨髓, 腰膝[24]風毒. 夏月采蒼耳莖葉, 曝爲末, 水服一二匕, 冬月酒服. 或爲丸, 每服二三十丸, 日三服. 滿百日, 病出如㾊疥成汁出, 或斑駁甲錯皮起, 皮落則肌如凝脂." 此謂大風癲癎之疾, 服蒼耳, 滿百日, 則骨髓間風毒發出於皮膚, 其狀如瘟癢汁出, 或斑駁甲錯, 及其發散巳盡而皮落, 則肌如凝脂也. 《東醫寶鑑》載此方于癜風癧瘍而云: "治紫白癜風及瘟癢, 斑駁甲錯,

24 [校勘] 膝 : 저본에는 '漆'로 되어 있는데, 《본초강목》에 근거하여 바로잡았다.

汁出.” 此異葶藶耶. 尙幸蒼耳無大毒, 且本治癜風耳. 苟爲不然, 則‘注《本艸》誤則殺人’者, 儘非虛語矣.

木綿油

木綿子可打油, 燃燈甚明無煙. 其法, 取碾過木緜子, 曬乾, 用石磨略磨, 令殼破. 復用竹篩, 篩之去殼, 取□水煎打油, 如蓖[25]麻子油法. 余嘗疑古今農書無語及此者, 遂謂創於近世. 近見王象晋《群芳譜》云: “種麦用木綿子油, 無虫而耐旱.” 始知其由来遠矣.

石花

李調元《南越筆記》云: “石花出崖州海港中, 三月採取, 過期則成石矣.” 此與我東石花異.

廣魚、舌魚

李調元《然犀志》即紀南粤水族者也. 全襲諸家《本艸》, 漫無裁擇. 末附廣魚、舌魚、大口魚、松魚、民魚、鰱魚、銀口魚, 則又全用《東醫寶鑑》之文. 而民魚之非鮰伊鮸, 鰱魚之與鱮, 同名異實, 銀口魚之非銀條魚, 皆不能證証. 疎牣如是, 雖連篇累牘, 亦奚助於多識哉?

---

25 [校勘] 蓖 : 저본에는 ‘萞’으로 되어 있는데, 일반적인 용례에 근거하여 수정하였다.

匾桃

李德懋《盎葉記》云: “校書舘直廬東墻下, 有桃一株. 結匾實, 如俗所謂窶籔柹, 人號柹而不知爲異國珍品. 段成式《酉陽雜俎》稱‘匾桃出波斯國, 呼婆淡樹, 實似桃而形匾’, 卽此桃也.” 余按《本草》, “匾桃出南番, 形匾肉澀, 核狀如盒, 其仁甘美, 番人珍之.” 蓋匾桃之爲珍, 其珍在仁而不在肉也. 今校書館桃, 其仁與凡桃無異. 但以其形匾而謂卽婆淡樹, 則□所謂皮相也.

碧桃

桃之華, 其色只有粉紅、深紅、白三色. 今人謂白桃爲碧桃, 非也. 古所稱紅桃、緋桃、碧桃、緗桃者, 皆指其實之色而言耳.

稷

程瑤田《九穀考[26]》謂“稷, 卽今之蜀[27]黍”, 其說誤矣. 蜀黍來自巴蜀, 故字從蜀, 其非三代時所有, 明矣. 毛氏《詩傳》解‘先集維霰’, “稷雪也.” 或謂之米雪, 謂其粒若稷米, 故名. 苟謂卽蜀黍, 則雪粒安有如是大.

---

26 [校勘] 考 : 저본에는 ‘記’로 되어 있는데, 《황청경해(黃淸經解)》 권548 《구곡고(九穀考)》에 근거하여 바로잡았다.

27 [校勘] 蜀 : 저본에는 ‘薥’으로 되어 있다. ‘薥’과 ‘蜀’은 혼용해서 쓰이나 여기서는 《풍석전집(楓石全集)》 《금화지비집(金華知非集)》 권4 〈정요전구곡고변(程瑤田九穀攷辨)〉에 근거하여 수정하였다. 이하 모두 같다.

《說文》:"禾[28]屬. 從禾, 雨省聲. 孔子曰: '黍可爲酒, 禾入水也.'" 此所謂禾卽指粟而言也.《說苑》:"田饒謂宗衛曰: '三升之稷, 不足於士.'" 此亦以稷爲粟之証. 而獨劉勰云: "思新者, 我蒿不分, 閔周者, 禾稷莫弁." 據劉說, 又以粟稷爲兩類, 豈劉亦與蘇恭之說合也.

《漢詩外傳》:"陳饒謂宋燕曰: '三斗之稷, 不足於士, 而君鴈鶩有餘粟." 此又秦漢以前, 粟稷互言之證也.

吳瑞以稷爲蘆穄, 蘆穄卽蜀黍之一名也, 亦名高粱. 李時珍《本草綱目、稷條正誤》, 旣弁吳說之誤, 而及著附方, 又引"心氣疼痛, 取高粱根, 煎湯服. 橫生難産, 取高粱根, 燒存性[29], 硏末[30]服"之文, 是又認稷爲高粱也. 一物二解, 訛舛甚矣.

蜀黍

孟子曰: "貊, 五穀不生, 惟黍生之." 黍本五穀之一, 何謂五穀不生也? 《星湖僿說》云: "此所謂黍, 疑指蜀黍而言." 是說得之. 至今遼、瀋以北之俗, 多種蜀黍. 農家所食, 大抵皆蜀黍飯也.

鱣

《詩、衛風》:"鱣鮪發發",《集傳》:"鱣似龍, 黃色." 然鱣實灰白色.《集傳》此言, 蓋因郭璞《爾雅》注"江東呼爲黃魚"之文而誤者也. 不知黃

28 [校勘] 禾 : 저본에는 '黍'로 되어 있는데,《설문해자(說文解字)》에 근거하여 바로잡았다.
29 [校勘] 性 : 저본에는 '生'으로 되어 있는데,《본초강목(本草綱目)》 권23 〈직(稷)〉에 근거하여 바로잡았다.
30 [校勘] 末 : 저본에는 '未'로 되어 있는데,《본초강목》 권23 〈직〉에 근거하여 바로잡았다.

魚之名, 盖因肉黃而得名. 故郭氏曰: “肉黃.” 陸佃亦曰: “鱣, 肉黃.” 未嘗言身黃.

鶴

朱子《詩集傳》謂“鶴尾黑”者, 偶失照檢耳. 毛奇齡大加訕嘲曰: “其黑者, 尾耶?” 又曰: “此翁但見立鶴, 不見飛鶴”. 然其說遠自毛前. 胡侍《眞珠船》曰: “朱晦菴《詩傳》謂‘鶴, 身白, 頸尾黑.’ 然尾實不黑. 黑者, 其兩翼之末耳.”

蝦爲蝗

徐玄扈謂蝦化爲蝗. 其說頗多徵驗本草諸家之所未發也. 余按羅愿《爾雅翼》, 云: “蘆蝦青色, 相傳蘆葦所變.” 蝗多生於蘆葦地, 此又蝦化爲蝗之一證也.

晋人樹藝

王右軍書帖, 有〈與蜀郡守朱書〉, 求櫻桃、來禽、日給、藤子之種. 晋人之淸曠, 而猶且汲汲樹藝, 不憚千里覓種, 乃如是矣.

蔗

蔗之用, 博矣. 煎而煉之, 曝而乾之, 凝堅如石者, 爲石密, 輕白如霜者, 爲糖霜. 印成人物之形者, 爲饗糖, 夾諸色果蓏, 則爲糖纏, 和牛乳酥酪, 則爲乳糖. 中國肴俎之羞, 太半自蔗出也. 東人獨不知藝蔗, 必遠購沙糖、霜糖於燕肆, 非豪貴不能致. 我東嶺湖南沿海州郡, 氣候寒暖, 視中國産蔗地方, 不甚相遠. 苟能傳種, 勸相按法蒔藝, 蔑不成矣. 特患無好事如文江城其人耳.

烏桕

徐文定《農書》, 盛言烏桕之利, 而獨不言可以放蠟. 今考陸深《豫章漫抄》, 云: "饒州之桕, 冬初葉落, 結子放蠟. 每顆作十字裂, 一叢有數顆." 豈桕亦有放蠟之種, 而文定偶遺之耶.

玉美人

玉美人舊無其種. 廿年前, 赴燕者得其種而來. 葉如菊葉而瘦細. 五月開花, 有粉紅、深紅二色. 粉紅者千葉, 深紅者單葉. 朝開暮落, 接續開謝. 二月, 種土宜肥.

秋海棠

秋海棠, 葉似匏葉而斜長, 面綠背紫, 枝節及葉紋皆有紅暈. 飮酒過醉, 取葉嚼之, 易醒. 六月, 開小花, 色紅. 其根如土芋. 霜後堀取, 藏之箱篋, 長近人氣, 勿令凍損. 二月, 種之畫磁[31]盆, 頗愜清賞.

海棠

海棠, 一名海紅. 李白詩註云: "海紅乃花名, 出新羅國." 則海棠固我東産也. 然今俗所謂海棠類, 皆叢枝多刺, 花而不實. 夫海棠得名, 政以其實之類棠杜耳. 苟其無實, 則安得冒棠名也? 余居金華山莊後麓, 有小樹叢生. 春開五出紅花, 色極鮮娟. 結實如木瓜而小, 村人指爲山茶花. 考諸沈立《海棠記》, 其葉萼花蕋, 節節符合, 始知吾東自有眞海棠, 而人自不識也. 今所謂海棠, 皆紅薔微之類. 關東、海西近海之地, 又有金沙海棠, 無根無葉, 散生濱海沙地, 色深紅, 望若落花點地, 別是一種艸本也. 余嘗據沈立《海棠記》, 謂我東所謂卽紅薔微之類, 而今俗所稱山茶花爲眞海棠.

今攷老稼齋《燕行日記》, 云: "得花二盆於通官, 一爲梅花, 一爲海棠. 花方盛開. 其所謂海棠, 卽我國所謂山茶也. 曾知山茶爲海棠, 見此蓋驗." 海棠本爲山茶, 非余一人之獨見也.

密花

今朝貴笠纓、扇墜, 婦女指環、珮飾, 最貴密花, 而錦貝、琥珀次之. 琥珀見《本艸》, 惟密花、錦貝, 不知在中華何名. 近考谷應泰《博物要覽》有云: "密珀, 要色如蜂蜜, 明淨光瑩者爲妙." 又云: "蜜珀, 又有一

---

31 [校勘] 磁 : 저본에는 '滋'로 되어 있는데, 문맥에 따라 수정하였다.

種, 淡黃而明瑩如黃水晶狀, 名曰金珀." 疑蜜珀卽蜜花之名, 金珀卽錦貝之名.

琉璃石

《博物要覽》云: "琉璃石質眞者, 出高麗國. 刀刮不動, 色白, 厚半寸許. 點燈明于牛角." 我東何曾有琉璃? 未知, 谷氏見吾東何物, 而誤認爲琉璃也.

銅

《五代史》"高麗地産銅、銀. 周世宗時, 遣尙書水部員外郞韓彦卿, 以帛數千匹, 市銅於高麗以鑄錢. 顯德六年, 高麗王昭, 遣使貢黃銅五萬斤." 然我東非不産銅, 而不知煉銅之法, 迄無有開礦採銅者. 赤銅, 來自日本, 盧甘石貿之契丹, 煉成黃銅, 其實我國所用黃赤銅, 皆非土産. 是時, 中國不通日本, 日本之銅, 必先輸于我國, 以轉售于中國. 故華人遂謂我東之産耳. 相傳嶺南寧海地産銅. 然旣不知升煉之法, 數千年來尙未開礦, 則雖有而與無同矣.《寧海邑志》云: "銅, 舊産大所山, 今無." 此殊可笑. 自有此山以來, 元不曾一番鼓鑄, 則舊有之銅, 其將鬼輸神搬而去耶. 李星湖謂: "我東銅山出基布." 且據柳磻溪《輿地志》, "京畿之永平, 湖西之公州、鎭岑, 湖南之淳昌、昌平、興陽、珍山、靈光、康[32]津、海南, 嶺南之寧海、巨濟, 關東之平昌、金城, 海西之遂安、長淵, 關西之龜城、三登, 皆産銅." 迄無有開礦採取, 年年用重値,遠市於日本, 此眞所謂封囷箱而乞米於隣者也. 星湖又云: "若以千金, 求煉銅之法, 如洴澼絖, 則豈有不得之理?" 此又未達之論. 今考《天工開物》, 煉銅無他法, 與今煉銀法同. 但患無人留意[33]於利用厚生之具耳.

周密《癸辛雜識[34]》云: "凡筆簀必[35]用高麗銅." 此又認倭銅爲我國産也.

黃銅價翔, 縱使高麗銅盛時, 盡[36]括國中之儲, 恐難弁五萬斤. 此必以今俗所謂鍮[37]銅, 假稱黃銅耳.《本艸》云: "赤銅, 用爐甘石, 煉爲黃銅, 用黃錫, 鍊爲響銅." 我東所謂鍮, 卽《本艸》所謂響銅也. 用雜錫及鍮、鑞, 鍊赤銅, 則色黃而光瑩, 絶似黃銅, 方言呼爲놋. 用黑鉛, 鍊赤銅, 則色黃而光瑩, 遜於鍮, 方言呼爲퉁. 京外閭閻, 日用器皿, 大抵皆此兩銅, 倉卒可括五萬斤者, 只有此耳.

金

《書》著"荊揚三品",《詩》言"南金大賂[38]", 金蓋南産也. 我東則異於是, 關西、關北、關東、海西, 處處産金, 近年三南, 亦往往産金. 凡遇

---

32 [校勘] 康 : 저본에는 '庚'으로 되어 있는데, 강진의 지명에 근거하여 바로잡았다.

33 [校勘] 留意 : 저본에는 잘 보이지 않으나, '留意'로 추정하였다.

34 [校勘] 識 : 저본에는 '志'로 되어 있으나 책이름《계신잡지》에 근거하여 바로잡았다.

35 [校勘] 筆簀必 : 저본은 판독이 불가능한데《제동야언(齊東野言)》 권17에 근거하여 수정하였다.

36 [校勘] 銅盛時, 盡 : 저본에는 잘 보이지 않으나, 보이는 일부로 '銅盛時, 盡'으로 추정하였다.

37 [校勘] 鍮 : 저본에는 '輸'로 되어 있으나 유동(鍮銅)에 근거하여 바로잡았다.

38 [校勘] 賂 : 저본에는 '貝'로 되어 있는데,《시경(詩經)》〈노송 경지십(魯頌駉之什)〉에 근거하여 '賂'로 바로잡았다. 시경 원문은 다음과 같다. [憬彼淮夷, 來獻其琛, 元龜象齒, 大賂南金.]

山水淸麗石礫明光處, 種種淘[39]沙得金, 大者如瓜子, 謂之瓜子金, 小者如麥麩, 謂之麩金. 其採之也, 亦非如銀銅之開礦費力. 但用一小鑿、一木瓢、一布袋, 鑿以堀土, 帒以盛之, 瓢以淘[40]之, 童男幼女皆可執□□□. 所得少不下麩金三、五分, 得錢數百文, 有福者倍焉. □□厚利所在, 民競奔趨, 農离其畝, 工棄肆. 四方游食之輩, □聚成都, 百貨騰踊, 姦□竄伏, 朝家設法禁之, 而利重不能止. 余在度支時, 筭員□自西關來者謂: "有不妨農不害民而設爲科條富國饒民之道" 撰定條約以納. 余亦謂: "以今財竭民窮, 苟有一分紓力之策, 烏可不試, 可乃已乎?" 欲筵稟施行, 竟因遞未果. 今錄其方略如左, 以俟後人採施.

我東本多産金之地, 八道無處無之. 若採取有法, 則可以兼利公私, 國用有裕矣. 而自前設法禁斷者, 有二大弊故也. 採金之法必臨水淘採, 非冬月可爲之事, 故每與農時相值. 而蚩蠢之輩公然趨利, 坐廢農業, 此一大弊也. 許採有令, 蟻聚烏合者, 無非無賴之輩, 而雜亂無統, 慮無所不到, 其害不止於病農. 此又一大弊也. 朝家之設法禁斷, 蓋亦不得已也. 而奸民輩之暗自盜採, 亦終莫可禁止也, 則只有禁採之名, 而實無禁採之效矣. 今若採之有法, 可以永杜兩項之弊源, 而大有公私補用之益, 則亦何所憚而不爲乎. 玆以詳究無弊永遵之法條列如.

一. 本曹與廟堂講磨筵稟定式, 後另作都, 擇勤幹者八人, 俾委監採之任. 各道産金處許令每年採取, 而一道之內無得過一處. 其採取之法, 自十月初一日始役, 至翌年正月晦日停止, 使無得踰越其限. 始役前

39 [校勘] 淘 : 본문에는 '陶'로 되어 있는데, 문맥에 따라 수정하였다.

40 [校勘] 淘 : 본문에는 '陶'로 되어 있는데, 문맥에 따라 수정하였다.

期, 自本曹出關文, 下送監採人, 知委該營邑. 定將校眼同監採, 而擇定掘土者一百名, 負土者五十名, 每名各給本曹火印木牌一介, 每日定其顧價幾錢. 每十五名各定監督一人, 使喚一名, 亦各定其料錢幾許. 又擇定酬應人幾名, 亦各給雇價. 而元數已定之後, 額外他人一切嚴禁勿許贅附, 則必無望風坌集之弊. 此法苟行則永除雜亂之弊, 而自不至於如前病農矣.

一. 一百名掘土, 五十名負土, 而先於所採近處, 一作土窟, 一作通堗. 所採之土, 先輸于窟中. 監採者每日數次試篩一器, 以探其有無多寡, 而切勿令軍人輩, 私自更篩. 窟中之土旣滿, 則漸次移置于通堗, 放火乾土, 盡去津濕. 然後先以轉石細磨其土, 次以疎密兩篩篩之, 先拾其粗大者, 次以車芝[41]之法, 去其篩下之土, 又以篩蹄法, 取其粗細者, 終以木槽法, 取其碎末者, 則金之在乾土中者, 自無一毫漏落. 而屢日負輸之土, 不費多日, 可以訖役. 至於軍人輩, 只令掘土, 而初不使之淘金, 則又無一片金遺失之患矣. 大抵淘沙得金, 古今天下通行之規. 而淘之必以水, 故苟非日暖之時, 則無以臨長流而蕩其土. 且眞土凝結難解, 而雖沙土, 必多費時刻用盡人力, 然後始可得如塵之金. 今若創用此法, 則用火代水, 以冬易夏. 旣無許多病農之害, 亦可事半而功倍矣.

一. 產金處, 概在溪谷空間之地, 而或與田畓犯界, 則必須量給田價, 而旣採之後, 還付田主耕食. 蓋十月至正月此四朔, 非耕作之時, 田主不過暫時借田也. 且田土一番經掘而火燒, 則不啻有糞田之效, 變墝

---

41 [校勘] 芝 : 저본에는 '之'로 되어 있는데, 《목민심서(牧民心書)》 〈공전육조(工典六條)〉에 나오는 '車芝法'에 근거하여 '芝'로 수정하였다.

爲饒, 而兼取其價. 利之所在, 宜無呼冤之端, 且經一採之後, 永無再侵之弊矣. 至於大村或墳墓逼近處, 則切不可許採矣.

一. 百人一日所採之金, 姑未可逆料其多寡, 而以其已試者言之, 則産金多處, 假令不下於五六兩. 今用土運火燒之法, 則事旣更易, 宜勝於隨採隨淘之時矣. 又用定額給雇之法, 則金無遺失, 而不比於逐名收稅之利矣. 本曺稅納每道以本色金二百兩定式, 則八道當爲一千六百兩. 此則毋論某道之或寡或多, 任之都中, 使之備納, 則決無稅納欠縮之慮. 而其餘利之波及, 亦足以償雇價料錢, 與許多雜費而有餘, 監監人自可蒙霑漑之惠矣.

一. 産金有名處, 非止一二邑. 今年起於起處, 止於止處, 明年又復如是. 而其他隱而未發處, 必有轉相進告之人, 宜無金人闕採之慮. 而八道每年稅納一千六百兩金, 則其爲補用之益, 可謂不些矣. 十月以後四朔, 卽地無所産, 人無所業之時, 而本曺收唯定之稅納, 窮民霑不費□雇價. 當此經費罄竭之時, 公私俱利, 莫此爲大矣.

一. 始役以十月初一日爲定, 則每年秋, 先期預定各道當採邑, 受出關文與木牌, 於本曹分送各道. 而如于器械雜用之需, 不可先事預弁, 監採者許令前期二十日, 預往當採之邑. 至正月晦撤掘, 而篩取之役, 不可當日了殺, 亦許限十日仍留, 俾無未盡之弊. 稅金收納時, 木牌亦一考數, 封納于本曺.

一. 自前金店許設, 則未及數朔, 必致雜亂之弊者. 蓋逐名收稅, 人愈衆而稅愈多. 故不厭其坌集, 而繼之以雜亂, 此必然之勢也. 且雜亂不已, 旋當撤採, 而監採者, 於撤採之前, 僥倖小利. 故許多烏合之類, 散採山野, 不計其地, 而因循遷就, 不卽用意禁止. 百弊叢生, 職此之由, 此亦理勢之所必然也. 今若創行此法, 則軍額旣有定數, 自無如前雜亂之弊. 而監採者, 足爲一生聊賴之業, 則其所謹愼奉行, 不待官勅, 自當百倍小心. 揆以人情事理, 萬無後弊之可憂矣.

一. 顧今潛採之弊, 無處無之, 無時無之. 旣不得一一防過, 而卒之狼藉焉. 則毋寧用行此法, 而使私逕亂雜之類, 不期禁而自禁也. 然則今之許採, 乃所以禁採之良法. 而在公家, 但得無前之定稅, 豈非大幸歟.

一. 金銀銅鉛, 無非利用厚生之具也. 而銅鉛許店, 初無理益之效, 金銀設礦, 但見亂雜之弊. 故至有禁斷之令矣. 然今若購求無弊之法, 以爲生財之道, 則金銀銅鉛, 無施不可. 而方此罄之時, 當務之要, 尤莫大於此.

導引療病

玄家貴導引, 而左藥石; 俗子親藥石, 而昧道引. 余獨憂夫山林澤藪、遐陬僻壤之地素無攻醫之方, 又乏鐵砭之具, 一朝疾生, 莫知所措, 而終不免於夭折促短者, 何限哉? 今取修養家所言導引療疾之方, 芟繁撮要, 分門類彙, 俾不待求之廬扁方劑, 而反諸吾身, 可以發膏肓[42] 起廢疾. 將與田夫野郎共此, 自然聖惠方也.

治風痺方

一. 正倚壁, 不息, 行氣, 從頭至足止. 愈疽、疝、大風、偏枯、諸風痺.

---

42 [校勘] 肓 : 저본에는 '盲'으로 되어 있는데, 의미가 통하지 않아 문맥에 따라 수정하였다.

一. 仰兩足指, 五息止, 引腰背. 痺, 偏枯,[43] 令人耳聞聲. 常行, 眼耳諸根無有罣礙.

一. 以背正倚, 展兩足及指, 瞑心, 從頭上引氣, 想以達足之十趾及足掌心. 可三七引, 候掌心似受氣止. 蓋謂上引泥丸, 下達湧泉, 是也.

一. 正柱倚壁, 不息, 行氣. 從口趣[44]令氣至頭始止. 治疽、痺、大風、偏枯.

一. 一足蹹[45]地, 足不動, 一足向側相, 轉身欹勢, 幷手盡急廻. 左右迭二七. 去脊風冷, 偏枯不通潤.

一. 手前後遞互拓, 極勢三七. 手掌向下, 頭低面心, 氣向下至湧泉、倉門. 却努[46]一時, 取勢散氣放縱身, 氣平. 頭動髆[47]前後欹側, 柔轉二七. 去髆井冷血, 筋急漸漸如消.

一. 兩手抱左膝, 生腰. 鼻納[48]氣七息, 展右足[49]. 除難屈伸拜起, 脛中痛痿.

一. 兩手抱右膝著[50]膺. 除下重難屈伸.

一. 踞坐, 伸右脚, 兩手抱左膝頭, 生腰. 以鼻納氣, 自極七息, 展左[51]足著外[52]. 除難屈伸拜起, 脛中疼痺.

---

43 [校勘] 引腰背痺偏枯 : 저본에는 "引五息止愈腰背痺枯"로 되어 있다. 《양생도인법》 〈중풍문(中風門)〉에 근거하여 바로잡았다.

44 [校勘] 趣 : 저본에는 '赴'로 되어 있는데, 《양생도인법》 〈중풍문〉에 근거하여 바로잡았다.

45 [校勘] 蹹 : 저본의 글자 판독이 어려워 《양생도인법》 〈중풍문〉에 근거하여 교감하였다.

46 [校勘] 努 : 저본에는 '弩'로 되어 있는데, 《양생도인법》 〈중풍문〉에 근거하여 바로잡았다.

47 [校勘] 髆 : 저본은 '轉'으로 되어 있는데, 《양생도인법》 〈중풍문〉에 근거하여 바로잡았다.

48 [校勘] 納 : 저본에는 '約'으로 되어 있는데, 《양생도인법》 〈중풍문〉에 근거하여 바로잡았다.

49 [校勘] 足 : 저본에는 '側'으로 되어 있는데, 《양생도인법》 〈중풍문〉에 근거하여 바로잡았다.

50 [校勘] 著 : 저본에는 '首'로 되어 있는데, 《양생도인법》 〈중풍문〉에 근거하여 바로잡았다.

51 [校勘] 左 : 저본 및 《양생도인법》 〈중풍문〉에는 '大'로 되어 있는데, 의미가 통하지 않아 《소씨제병원후론(巢氏諸病源候論)》 〈풍병제후 상(風病諸候上)〉에 근거하여 수정하였다.

52 [校勘] 著外 : 저본은 판독하기 어려워 《양생도인법》 〈중풍문〉에 근거하여 교감하였다.

一. 立身, 上下正[53]直. 一手上拓, 仰手[54]如似推物勢, 一手向下如捺物, 極勢. 上下來[55]去換易四七. 去髆內風, 兩髆井內冷血[56], 兩液筋脉攣急.

一. 踞, 伸[57]左脚, 兩手抱右膝. 生腰. 以鼻納氣, 自極七息. 伸左足著外[58]. 除難屈伸拜起, 脛中疼.

一. 偃臥, 合兩膝, 布兩足. 生腰, 口納氣, 振腹七息. 除壯熱[59]疼痛, 兩脛不遂.

一. 治四肢疼悶及不隨[60]、腹內積氣[61], 牀席必須平穩, 正身仰臥, 緩解衣帶, 枕高三寸. 握固者, 以兩手各自以四指把手拇指, 舒臂令去身各五寸. 兩脚竪[62]指, 相去五寸. 安心定意, 調和氣息, 莫思余事, 專意念氣, 徐徐漱醴泉者, 以舌舐略唇口牙齒, 然後咽唾. 徐徐以口吐氣, 鼻引氣入喉, 須微微緩作, 不可卒急強作, 待好, 調和引氣, 勿令自[63]聞出入之聲. 每引氣, 心心念送之, 從脚趾頭使氣出, 引氣五息, 六息, 一出之爲一息. 一息數至十息, 漸漸增益, 得至百息、二百息, 病[64]卽[65]

---

53 [校勘] 正 : 저본은 판독하기 어려워 《양생도인법》 〈중풍문〉에 근거하여 교감하였다.

54 [校勘] 手 : 저본은 판독하기 어려워 《양생도인법》 〈중풍문〉에 근거하여 교감하였다.

55 [校勘] 來 : 저본에는 '東'으로 되어 있는데, 《양생도인법》 〈중풍문〉에 근거하여 바로잡았다.

56 [校勘] 血 : 저본에는 '血' 다음에 "井內冷血內氣, 兩髆"이 더 있다. 《양생도인법》 〈중풍문〉에 근거하여 연문으로 판단하고 삭제하였다.

57 [校勘] 伸 : 《양생도인법》 〈중풍문〉에는 '展'으로 되어 있다.

58 [校勘] 外 : 저본에는 '外' 다음에 "右脚亦然"이 더 있다. 《양생도인법》 〈중풍문〉에 근거하여 연문으로 판단하고 삭제하였다.

59 [校勘] 熱 : 저본에는 '勢'로 되어 있는데, 《양생도인법》 〈중풍문〉에 근거하여 바로잡았다.

60 [校勘] 隨 : 저본에는 '遂'로 되어 있는데, 《양생도인법》 〈중풍문〉에 근거하여 바로잡았다.

61 [校勘] 氣 : 저본에는 '氣法'으로 되어 있는데, 《양생도인법》 〈중풍문〉에 근거하여 바로잡았다.

62 [校勘] 竪 : 저본에는 '堅'으로 되어 있는데, 《양생도인법》 〈중풍문〉에 근거하여 바로잡았다.

63 [校勘] 自 : 저본에는 '耳'로 되어 있는데, 《양생도인법》 〈중풍문〉에 근거하여 바로잡았다.

64 [校勘] 病 : 저본에는 '疾'로 되어 있는데, 《양생도인법》 〈중풍문〉에 근거하여 바로잡았다.

65 [校勘] 卽 : 저본에는 '已'로 되어 있는데, 《양생도인법》 〈중풍문〉에 근거하여 바로잡았다.

除[66]愈. 不用食生菜及魚、肥肉. 大飽食後, 喜怒憂恚, 悉不得輒行氣. 惟須向曉淸靜時, 行氣大佳, 能愈萬病.

一. 展兩足上. 除[67]不仁、脛寒之疾.

一.[68] 以右踵拘左足拇指, 除風痺. 以左踵拘右足拇指, 除厥痺. 兩手更引足趺置膝上, 除體痺.

一. 偃臥合兩膝頭, 翻兩足. 生腰坐, 口[69]納氣張腹, 自極七息. 除痺痛、熱[70]痛、兩脛不隨.

一. 踞坐, 生腰, 以兩手引兩踵, 以鼻納氣, 自極七息. 引兩手[71]布兩膝頭. 除痺嘔.

一. 偃臥, 端展兩手足臂, 以鼻納氣, 自極七息, 搖[72]足三十而止. 除胸足寒、周身痺、厥逆.

一. 正倚壁, 不息行氣, 從頭至足止. 愈大風、偏枯、諸痺.

一. 左右手夾據地, 以仰引腰, 五息止. 去痿痺, 利九竅.

一. 左右拱兩臂, 不息九通. 治臂足痛, 勞倦, 風痺不隨.

一. 凡人[73]常覺脊屈強而悶, 仰面, 努髆幷向[74]上, 頭左右兩向按之, 左右三七. 一住, 待血行氣動定, 然始更用. 初緩後急, 不得先急後緩. 若無病人, 常欲得朝起、午時、日沒, 三辰如用, 辰別二七. 除寒熱病,

---

66 [校勘] 除 : 저본에는 '徐'로 되어 있는데, 《양생도인법》 〈중풍문〉에 근거하여 바로잡았다.

67 [校勘] 除 : 저본에는 '徐'로 되어 있는데, 《양생도인법》 〈중풍문〉에 근거하여 바로잡았다.

68 여기부터 《양생도인법》 〈풍비문(風痺門)〉 의 내용이다.

69 [校監] 口 : 저본 판독이 어려워 《양생도인법》 〈풍비문(風痺門)〉에 근거하여 교감하였다.

70 [校監] 熱 : 저본에는 '勢'로 되어 있는데, 《양생도인법》 〈풍비문〉에 근거하여 바로잡았다.

71 [校監] 引兩手 : 저본 및 《양생도인법》 〈풍비문〉에는 "除痺嘔" 다음에 있는데, 의미가 통하지 않아 문맥에 따라 교감하였다.

72 [校監] 搖 : 《양생도인법》 〈풍비문〉에는 '擺'로 되어 있다.

73 [校監] 人 : 저본에는 '入'으로 되어 있는데, 《양생도인법》 〈풍비문〉에 근거하여 바로잡았다.

74 [校監] 向 : 저본에는 '內'로 되어 있는데, 《양생도인법》 〈풍비문〉에 근거하여 바로잡았다.

脊腰頸[75]項痛[76], 風痺, 兩膝頸頭. 以鼻納[77]氣, 自極七息. 除腰痺背痛, 口內生瘡, 牙齒風, 頭眩盡除[78].

一. 兩手按膝, 向左扭項扭背, 運氣一十二口, 右亦然. 治頭疼及諸風與血脈不通.[79]

一. 正立, 以手左指, 右視, 運氣二十四口. 以手右指左視, 運氣二十四口. 名曰仙人指路. 治左癱、右瘓.[80]

一. 以身高坐, 左脚彎圈, 右脚斜舒. 兩手左擧右視, 運氣二十四口. 右亦如之. 治癱瘓.[81]

治心腹痛方[82]

一. 偃臥, 展兩脛兩手, 仰足指, 以鼻納氣, 自極七息. 除腹中弦急切痛.

一. 偃臥, 口納氣, 鼻出之. 除裏急. 飽咽氣數十[83], 令溫中寒, 乾嘔吐腹痛. 口納氣七十所, 大塡腹, 咽氣數十, 兩手相摩令熱, 以摩腹, 令氣下.

一. 偃臥, 仰兩足兩手, 鼻納氣七息. 除腹中弦切痛.

---

75 [校監] 頸 : 저본에는 '脛'으로 되어 있는데, 《양생도인법》 〈풍비문〉에 근거하여 바로잡았다.

76 [校監] 痛 : 저본에는 '通'으로 되어 있는데, 《양생도인법》 〈풍비문〉에 근거하여 바로잡았다.

77 [校監] 納 : 저본에는 '約'으로 되어 있는데, 《양생도인법》 〈풍비문〉에 근거하여 바로잡았다.

78 [校監] 除 : 저본에는 '徐'로 되어 있는데, 《양생도인법》 〈풍비문〉에 근거하여 바로잡았다.

79 兩手按膝 …… 治頭疼及諸風與血脈不通 : 이 항목은 《수진비요(修眞秘要)》 의 〈요천주(搖天柱)〉에 나오는 내용이다. 이하 두 항목은 서유구가 《수진비요》에서 혈맥을 통하게 하거나 몸이 마비되는 증상에 대한 항목을 뽑아 추가한 것으로 보인다. 아래의 "가슴과 배의 통증을 치료하는 방법[治心腹痛方]"에서도 역시 9개의 항목을 뽑아 추가하였다.

80 以手左指 …… 治左癱右瘓 : 이 항목은 《수진비요》 〈선인지로(仙人指路)〉에 나오는 내용이다.

81 以身高坐 …… 治癱瘓 : 이 항목은 《수진비요》 〈신선진례(神仙進禮)〉에 나오는 내용이다.

82 여기부터 《양생도인법》 〈심복통문(心腹痛門)〉 의 내용이다.

83 [校監] 十 : 저본에는 '中'으로 되어 있다. 《양생도인법》 〈심복통문〉에 근거하여 수정하였다.

一. 以身端坐, 兩手抱臍下, 行功[84]運氣四十九口. 名曰絞丹田. 治肚腹疼痛, 亦能養精.[85]

一. 用兩手抱肩[86], 以目左視, 運氣一十二[87]口. 名曰仙人存氣開關. 治肚腹虛飽[88].

一. 以身端坐, 用兩[89]手攀膝躋[90]胸, 左右登板[91]九數. 運氣二十四口. 名曰九九登天. 治絞腹沙痛不可堪.[92]

一. 坐按兩膝, 用意在心. 左視右提, 運氣一十二口. 右視左提, 亦運氣一十二口. 治後心虛疼.[93]

一. 以身端坐, 用左手按膝, 右手擧起, 運氣一十二口. 右手亦然. 名曰霸王擧鼎. 治肚內一切雜病.[94]

一. 以身端坐, 兩手托天, 運氣上九口, 下九口[95]. 名曰托天搭. 治肚腹虛腫.[96]

一. 丁字步立, 右手揚起, 扭身左視, 左手於後, 運氣九口. 轉身轉手同前. 名曰仙人拔劍. 治一切心疼.[97]

---

84 [校監] 功 : 저본에는 '切'로 되어 있다. 《수진비요》 〈교단전(絞丹田)〉에 근거하여 수정하였다.

85 以身端坐 …… 亦能養精 : 이 항목은 《수진비요》 〈교단전〉에 나오는 내용이다. 이하 9항목은 모두 《수진비요》에서 인용한 것이다.

86 [校監] 肩 : 저본에는 '有'로 되어 있다. 《수진비요》 〈선인존기개관(仙人存氣開關)〉에 근거하여 수정하였다.

87 [校監] 一十二 : 저본에는 '二十四'로 되어 있다. 《수진비요》 〈선인존기개관〉에 근거하여 수정하였다.

88 用兩手抱肩 …… 治肚腹虛飽 : 이 항목은 《수진비요》 〈선인존기개관〉에 나오는 내용이다.

89 [校監] 兩 : 저본에는 없다. 《수진비요》 〈구구등천(九九登天)〉에 근거하여 수정하였다.

90 [校監] 躋 : 저본에는 '臍'로 되어 있다. 《수진비요》 〈구구등천〉에 근거하여 수정하였다.

91 [校監] 板 : 저본에는 '反'으로 되어 있다. 《수진비요》 〈구구등천〉에 근거하여 수정하였다.

92 以身端坐 …… 治絞腹沙痛不可堪 : 이 항목은 《수진비요》 〈구구등천〉에 나오는 내용이다.

93 坐按兩膝 …… 治後心虛疼 : 이 항목은 《수진비요》 〈치후심허동(治後心虛疼)〉에 나오는 내용이다.

94 以身端坐 …… 治肚內一切雜病 : 이 항목은 《수진비요》 〈패왕거정(霸王擧鼎)〉에 나오는 내용이다.

95 [校監] 下九口 : 저본에는 없다. 《수진비요》 〈탁천탑(托天搭)〉에 근거하여 수정하였다.

96 以身端坐 …… 治肚腹虛腫 : 이 항목은 《수진비요》 〈탁천탑〉에 나오는 내용이다.

97 丁字步立 …… 治一切心疼 : 이 항목은 《수진비요》 〈선인발검(仙人拔劍)〉에 나오는 내용이다.

一. 以身立住, 用兩手托天, 脚根向地, 緊撮谷道, 運氣九口. 名曰金剛擣碓. 治肚腹膨張遍身疼痛.[98]

一. 以肚腹着地, 兩手向後往上擧, 兩脚亦往上擧, 運氣十口. 名曰餓虎撲食. 亦[99]治絞腸沙.[100]

治霍亂[101]方[102]

一. 轉筋不住, 男子以手挽其陰, 女子以手捧乳近兩邊.

一. 偃臥, 展兩脛兩手, 外踵者相向, 亦鼻納氣, 自極七息. 除兩膝寒、脛骨痛、轉筋.

一. 覆臥, 傍視, 立兩踵. 生腰, 鼻納氣. 去轉筋.

治嘔吐方[103]

一. 正坐, 兩手向後捉[104]腕, 反拓席盡勢, 使腹絃絃[105]上下七. 左右換手亦然. 除腹肚冷氣, 宿氣積, 胃口冷, 食飮進退吐逆.

一. 偃臥, 展脛兩手. 左蹻兩足踵, 以鼻納氣, 自極七息. 除腰中病, 食

---

98 以身立住 …… 遍身疼痛 : 이 항목은 《수진비요》 〈금강도애(金剛擣碓)〉에 나오는 내용이다.

99 [校監] 亦 : 저본에는 없다. 《수진비요》 〈아호박식(餓虎撲食)〉에 근거하여 수정하였다.

100 以肚腹着地 …… 亦治絞腸沙 : 이 항목은 《수진비요》 〈아호박식〉에 나오는 내용이다.

101 [校監] 霍亂 : 저본에는 '□□'로 되어 있다. 글자의 판독이 어려워 《양생도인법》 〈곽란문(霍亂門)〉에 근거하여 추가하였다.

102 여기부터 《양생도인법》 〈곽란문〉 의 내용이다.

103 여기부터 《양생도인법》 〈구토문(嘔吐門)〉 의 내용이다.

104 [校監] 捉 : 저본에는 '促'으로 되어 있다. 《양생도인법》 〈구토문〉에 근거하여 수정하였다.

105 [校監] 絃絃 : 저본에는 '胘胘'으로 되어 있다. 《양생도인법》 〈구토문〉에 근거하여 수정하였다.

苦嘔.

一. 坐, 直舒兩脚, 以兩手挽兩足, 自極十二通. 愈腸胃不能受食吐逆. 以兩手直叉兩脚底, 兩脚痛舒, 以頭枕膝上, 自極十二通. 愈腸胃不能受食吐逆.

治氣病方

一. 兩手向後, 合手拓腰, 向上[106]急勢, 振搖臂肘來去七. 始得手不移, 直向上向下, 盡勢來去二七. 去脊心肺氣壅悶.

一. 兩足兩手相向, 五息止, 引心肺, 去厥逆、上氣. 極用力, 令兩足相向, 意止引肺中氣出. 病人行肺內外展轉屈伸, 隨無有違逆.

一. 端坐, 先以兩手擦[107]目, 用手拄[108]定兩液, 其氣上昇, 運氣一十二口. 名曰"周天火候", 治氣血衰[109]敗.

一. 正立, 擧手如指物狀. 如左邊氣脈不通, 左手行功, 意在左邊, 擧左手運氣. 右邊亦然. 名曰"(呂祖栐)疾法", 專治氣脈不通.

治痰飮方

一. 左右側臥, 不息十二通.[110] 治痰飮不消. 右有飮病, 右側臥; 左有飮

106 [校勘] 向上 : 저본에는 '口上'으로 되어 있는데, 《소씨제병원후총론(巢氏諸病源候總論)》 권13에 근거하여 바로잡았다.

107 [校勘] 擦 : 저본에는 '搽'로 되어 있는데, 문맥에 따라 수정하였다.

108 [校勘] 拄 : 저본에는 '主'로 되어 있는데, 문맥에 따라 수정하였다.

109 [校勘] 衰 : 저본에는 '襄'으로 되어 있는데, 문맥에 따라 수정하였다.

110 [校勘] 十二通 : 저본에는 '十通十通'으로 되어 있는데, 《소씨제병원후총론》 권12에 근거하여 바로잡았다.

病, 左側臥. 又有不消氣排之, 左右各十有二息, 治痰飮也.

治勞瘵方

一. 以兩手着頭上相叉, 長氣卽吐之. 坐地緩舒兩脚, 以兩手外抱膝[111]中, 疾低頭入兩膝間, 兩手交叉頭上, 十三通, 愈三尸也.

一. 叩齒二七, 過輒[112]咽氣二七, 如三百通乃止. 爲之二十日, 邪氣悉去, 六十日, 小病愈, 百日, 大病除, 三[113]蟲伏尸皆去, 面體光澤也.

治腰脅痛方

一. 卒左脅痛, 念: "肝[114]爲靑龍, 左目中魂神, 將五營兵, 千乘萬騎, 從甲寅直符吏, 入左脅下取病去."

一. 右脅痛, 念: "肺爲白帝, 右目中魂神, 將五營兵, 千乘萬騎, 從甲申直符吏, 入右脅下, 取病去." 一側臥, 伸臂直脚, 以鼻納氣, 以口出之, 除脅皮膚痛, 七息止.

一. 端坐生腰, 右顧視月, 口納氣咽之, 三十除左脅痛. 開目.

一. 手交項上, 相握自極. 治脅下痛. 坐地交兩手, 著不周遍, 握當挽. 久行實身如金剛, 令息調長如風雲如雷.

一. 一手向上極勢, 手掌四方轉回. 一手向下努之. 合手掌努指.[115] 側身

111 [校勘] 膝 : 저본에는 '出'로 되어 있는데, 《소씨제병원후총론》 권18에 근거하여 바로잡았다.
112 [校勘] 輒 : 저본에는 '取'로 되어 있는데, 《소씨제병원후총론》 권18에 근거하여 바로잡았다.
113 [校勘] 三 : 저본에는 '除'로 되어 있는데, 《소씨제병원후총론》 권18에 근거하여 바로잡았다.
114 [校勘] 肝 : 저본에는 '肺'로 되어 있는데, 《소씨제병원후총론》 권5에 근거하여 바로잡았다.
115 [校勘] 指 : 저본에는 '手'로 되어 있는데, 《소씨제병원후총론》 권5에 근거하여 바로잡았다

欹形, 轉身向似看手掌向上, 心氣向下散, 適知氣下緣上, 始極勢. 左右上下四七亦然. 去髆并肋腰脊痛悶.

一. 平跪, 長伸兩手, 拓席向前, 待[116]腰脊須轉, 遍身骨解氣散, 長引腰極勢. 然始却跪, 便急如似脊內冷氣出許, 令臂髆痛, 痛欲似悶痛還坐, 來去二七. 去五臟不和、背痛悶.

一. 坐舒兩脚, 兩手向前, 與足齊, 來往行功運氣. 名曰"烏龍探爪", 治腰腿疼痛.

一. 立住, 鞠躬低頭, 手與脚尖齊, 運氣二十四口. 名曰"立站活人心", 一名"烏龍擺尾", 治腰痛.

一. 端立, 以手主楞, 項腰左右轉運氣一十八口. 一氣運三遍, 用膝拂地擺. 名曰"神仙靠楞", 治腰背疼.

一. 立柱, 用右手扶墻, 左手下垂, 右脚登舒, 運氣一十八口. 左右又同. 名曰"仙人脫靴", 治腰疼.

一. 立柱, 兩手握拳, 如鞠躬勢, 到地, 沈沈起身, 雙手擧起過頂. 閉口, 鼻內微微放氣三四口, 治腰腿疼.

一. 端坐, 兩手擦熱, 向背後摩精門, 運氣二十四口. 治腰腿疼.

治脚氣方

一. 坐, 兩足長舒, 自縱身納氣向下, 使心內柔和適散. 然後屈一足, 安膝下努, 長舒一足, 仰足[117]指向上. 使急仰眠, 頭不至席, 兩手急努向

116 [校勘] 待 : 저본에는 '侍'로 되어 있는데, 《소씨제병원후총론》 권5에 근거하여 바로잡았다.
117 [校勘] 足 : 저본에는 '取'로 되어 있는데, 《소씨제병원후총론》 권2에 근거하여 바로잡았다.

前，頭向上努挽，一時各各取勢，來去二七．遞互亦然．去脚疼、腰髀冷，血冷風痹，日日漸損．

一．覆臥傍視，立兩踵，[118] 生腰，以鼻納氣，自極七息．除脚中弦痛、轉筋，脚酸疼，脚痹弱．

一．舒兩足坐，散[119]氣向湧泉，可三通．氣徹倒，始收右足屈捲，將兩手急捉脚湧泉挽，足踏手挽，一時取勢．手足用力，送[120]氣向下極三七，不失氣．數尋，去腎內冷氣、膝冷、脚疼也．

一．一足屈之，足指仰使急，一足安膝頭心．散心，兩足跟出氣向下．一手拓膝頭向下急捺，一手向後拓席，一時極勢，左右亦然二七．去膝痹疼急．

一．一足踏地，一足向後將足解谿安蹦上．急努兩手偏相向後，側身如轉，極勢二七．左右亦然．去足疼痛、痹急、腰痛也．

治積聚方

一．以左足踐右足上．除心下積聚．

一．端坐，生腰，向日[121]仰頭，徐以口納氣．因而咽之，三十過而止，開目．除心下積聚．

一．左脅側臥，伸臂直脚，以口納氣，鼻吐之，週而復始．除積聚、心下

118 [校勘] 立兩踵：저본에는 '內腫'으로 되어 있는데, 《소씨제병원후총론》 권22에 근거하여 바로잡았다.

119 校勘] 坐散：저본에는 '散坐'로 되어 있는데, 《소씨제병원후총론》 권4에 근거하여 바로잡았다.

120 [校勘] 送：저본에는 '逆'으로 되어 있는데, 《소씨제병원후총론》 권4에 근거하여 바로잡았다.

121 [校勘] 向日：저본에는 '回目'으로 되어 있는데, 《소씨제병원후총론》 권19에 근거하여 바로잡았다.

不快.

一. 以左手按右脅, 擧右手極形. 除積聚及老血.

一. 閉口微息, 坐向王氣, 張鼻取氣, 逼置臍[122]下, 小口微出十二通氣. 以除結聚. 低頭不息十二通. 以消飮食, 令身輕强. 行之冬月[123], 令人[124]不寒.

一. 端坐, 生腰, 直上展兩臂, 仰兩手掌. 以鼻納氣閉之, 自極七息. 名曰"蜀王喬". 除脅下積聚.

一. 向晨去枕, 正偃臥, 伸臂脛, 瞑目, 閉口不息. 極張腹兩足, 再息. 頃間吸腹仰兩足, 倍拳. 欲自微息定, 復爲. 春三、夏五、秋七、冬九, 蕩滌五臟, 津潤六腑, 所病皆愈. 復有疾積聚者, 張吸其腹, 熱乃止. 癥瘕散破即愈矣.

治脾胃不和法

一. 脾胃不和, 不能飮食, 欹身, 兩手一向偏側, 急努身舒頭, 共手競扒相牽, 漸漸一時盡勢, 氣共力皆和. 來去左右亦然, 各三七. 項前後兩角緩舒手, 如是似向外扒, 放縱身心, 搖三七, 遞互亦然. 去太倉不和、臂腰虛悶也.

---

122 [校勘] 臍 : 저본에는 '濟'로 되어 있는데, 《소씨제병원후총론》 권19에 근거하여 바로잡았다.
123 [校勘] 月 : 저본에는 없는데, 《소씨제병원후총론》 권19에 근거하여 보충하였다.
124 [校勘] 令人 : 저본에는 없는데, 《소씨제병원후총론》 권19에 근거하여 보충하였다.

治消渴法

一. 解衣惔臥, 伸腰, 瞋小腹. 五息止, 引腎, 去消渴、利陰陽. 解衣者, 使無掛礙. 惔臥者, 無外想, 使氣易行. 伸腰者, 使腎無逼蹙. 瞋者, 大努使氣滿. 小腹者, 即攝腹牽氣. 使五息, 即爲之引腎者, 引水來咽喉潤上部, 去[125]消渴枯槁病. 利陰陽者, 饒氣力. 此中數虛要與時節而爲避. 初食後、大饑時, 此二時不得導引, 傷人亦避. 惡日、時節不和時亦避. 導已, 先行一百二十步, 多者千步, 然後食之. 法不使大冷大熱, 五味調和. 陳穢宿[126]食, 蟲蝎餘殘不得食. 少眇著口中, 數嚼少喘咽.[127] 食已亦勿眠. 此名"穀藥,"[128] 幷與氣和, 卽眞良藥也.

治脹滿方

一. 蹲坐, 住心, 捲兩手, 發心向下, 左右手搖臂, 遞互欹身. 盡髆勢, 捲頭築肚, 兩手衝脈至臍下, 來去三七. 漸去腹脹肚急悶、食不消化.

一. 腹中若脹有塞, 以口呼出氣, 三十過止.

一. 若腹中滿, 食飮苦飽, 端坐生腰, 以口納氣數十, 滿吐之, 以便爲故, 不便復爲之. 有塞氣腹中不安, 亦行之.

一. 端坐, 生腰, 口納氣數十. 除腹滿、食飮過飽、寒熱腹中痛病.

一. 兩手向身側一向, 偏相極勢, 發頂足氣散下, 欲似爛物解散, 手掌

---

125 [校勘] 去 : 저본에는 없는데, 《소씨제병원후총론》 권5에 근거하여 보충하였다.

126 [校勘] 宿 : 저본에는 '者'로 되어 있는데, 《소씨제병원후총론》 권5에 근거하여 바로잡았다.

127 [校勘] 喘咽 : 저본에는 '湍洇'으로 되어 있는데, 《소씨제병원후총론》 권5에 근거하여 바로잡았다.

128 [校勘] 藥 : 저본에는 없는데, 《소씨제병원후총론》 권5에 근거하여 보충하였다.

指直舒, 左右相皆然, 去來三七. 始正身, 前後轉動膊腰七. 去腹肚脹、膀胱腰脊臂冷、血脈急強悸也.

一. 若腹內滿, 飮食善飽, 端坐, 生腰, 以口納氣十; 以便爲故, 不便復爲.

一. 端坐, 以左手向左, 右亦隨之, 頭向右扭; 以右手向左, 右亦隨之, 頭向左扭. 運氣左九口, 右九口. 治胸隔膨悶.

明目聰耳法

一. 踞, 伸右脚, 兩手抱左膝頭, 生腰, 以鼻納氣, 自極七息. 除風目耳聾.

一. 踞, 伸左脚, 兩手抱右膝, 生腰, 以鼻納氣, 自極七息, 展左足着外. 除風目暗耳聾.

一. 以鼻納氣, 左手持鼻. 除目暗淚出.

一. 端坐, 生腰, 徐[129]以鼻納氣, 右手持鼻. 除目暗. 淚若出, 閉目吐氣.

一. 蹲踞, 以兩手擧足五趾頭, 自極, 則五藏氣偏. 主治耳不聞, 目不明. 久爲之, 則令髮白復黑.

一. 仰兩足指, 五息止. 令人耳聰, 久行, 眼耳諸根[130], 俱無罣礙.

一. 伸左[131]脛, 屈右膝納壓之, 五息止, 引肺中氣. 去風虛病. 令人目明, 夜中見色, 與晝無異.

---

129 [校勘] 徐 : 저본에는 '除'로 되어 있는데, 《소씨제병원후총론(巢氏諸病源候總論)》 권28에 근거하여 바로잡았다.

130 [校勘] 眼耳諸根 : 저본에는 '眼目耳諸根'으로 되어 있는데, 《소씨제병원후총론》 권28에 근거하여 바로잡았다.

131 [校勘] 左 : 저본에는 '坐'로 되어 있는데, 《소씨제병원후총론》 권28에 근거하여 바로잡았다.

一. 鷄鳴, 以兩手, 相摩令熱, 以熨目, 三行. 以指抑[132]目, 左右有神光, 令目明, 不病.

一. 東向坐, 不息再通, 以兩手中指[133]口唾之二七, 相摩拭目. 令人目明. 以甘泉漱之洗目, 去其翳垢, 令目淸明.

一. 臥, 引爲三, 以手爪項邊脈五通. 令人目明. 臥正偃, 頭却亢引三通, 以兩手指爪項邊大脈爲五通, 除目暗. 久行, 令人夜能見色, 爲久不已, 通見十方, 無有際限.

一. 鷄鳴欲起, 先屈左手噉鹽, 指以指相摩, 呪曰: "西王母女, 名曰'益愈' 賜我目, 受之於口." 即精摩形. 常雞鳴二七著唾. 除目茫茫. 其精光, 徹視萬里, 遍見四方. 咽二七唾之, 以熱指摩目二七. 令人目不瞑.

一. 以身端坐, 先用手熱抹脚心, 手按兩膝. 端坐開口, 呵氣九口, 名曰抽添火候, 調理血脈上. 治三焦不和, 眼目昏花.

一. 坐地, 交叉兩脚, 以兩手從曲脚中入, 低頭叉項上. 治久塞不能自溫, 耳不聞聲.

一. 脚着項上, 不息十二通. 愈大寒不覺煖熱, 久頑冷患, 耳聾目眩. 久行則卽成法, 法身五六不能變.

132 [校勘] 抑 : 저본에는 '仰'으로 되어 있는데, 《소씨제병원후총론》 권28에 근거하여 바로잡았다.
133 [校勘] 指 : 저본에는 '手'로 되어 있는데, 《소씨제병원후총론》 권28에 근거하여 바로잡았다.

治喉舌病方

一. 一手長舒合掌仰, 一手捉[134]頦[135], 挽之向外, 一時極勢[136]二七[137]. 左右亦然. 手不動, 兩向側勢, 急挽之二七. 去頸骨急强, 頭風、腦旋、喉痹, 髆內冷注偏風.

一. 兩手拓兩頰, 手不動, 摟肚肘使急. 腰內亦然. 住定放兩肋頭向外, 肘膊腰氣散[138], 盡勢大悶始起, 來去七通. 去[139]喉痹.

固齒方

一. 常向本命日, 櫛髮之始, 叩齒九通, 陰呪曰: "太[140]帝散靈, 五老反眞; 泥丸玄華, 保精長存; 左迴拘月, 右引日根; 六合淸練, 百病愈因[141]." 咽唾三過. 常數行之, 使齒不痛, 髮牢不白, 頭腦不痛.

一. 東向坐, 不息四通, 上下琢齒三十六. 治齒痛.

---

134 [校勘] 捉 : 저본에는 '促'으로 되어 있는데, 《양생도인법》 18 〈후설문(喉舌門)〉에 근거하여 바로잡았다.

135 [校勘] 頦 : 저본에는 '頻'으로 되어 있는데, 《양생도인법》 18 〈후설문〉에 근거하여 '頦'로 바로잡아 번역하였다.

136 [校勘] 勢 : 저본에는 '熱'로 되어 있는데, 《양생도인법》 18 〈후설문〉에 근거하여 바로잡았다.

137 [校勘] 七 : 저본에는 '七'이 빠져 있는데, 《양생도인법》 18 〈후설문〉에 근거하여 보충하였다.

138 [校勘] 氣散 : 저본에는 '散氣'로 되어 있는데, 《양생도인법》 18 〈후설문〉에 근거하여 바로잡았다.

139 [校勘] 去 : 저본에는 없는데, 《양생도인법》 18 〈후설문〉에 근거하여 보충하였다.

140 [校勘] 太 : 저본에는 '大'로 되어 있는데, 《양생도인법》 19 〈구치문(口齒門)〉에 근거하여 바로잡았다.

141 [校勘] 因 : 저본에는 '困'으로 되어 있는데, 《양생도인법》 19 〈구치문〉에 근거하여 바로잡았다.

治鼻病方

一. 東向坐, 不息三通, 手捻鼻兩孔. 治鼻中患. 交脚踑坐, 治鼻中患, 去其涕唾, 令鼻道通, 得聞香臭. 久行不已, 徹聞十方.

一. 踞坐, 合兩膝, 張兩足, 不息五通. 治鼻瘡.

一. 端坐生腰, 徐徐以鼻納氣, 以右手捻鼻. 徐徐閉目吐氣, 以汗出爲度. 除[142]鼻中息肉.

一. 東行坐, 不息三通, 以手捻鼻兩孔. 治鼻中息肉.

治遺洩方

一. 治遺精白濁, 諸冷不生. 戌亥間陰旺陽衰之際, 一手兜外腎, 一手搓臍下八十一次, 然後換手. 每手各九次, 兜搓九日見驗, 八十一日成功.

一. 治遺精, 以床鋪安短窄, 卧如弓彎, 二膝幷臍縮, 或左或右側卧. 用手托陰囊, 一手伏丹田. 切[143]須寧心淨卧, 戒除[144]房室思慾之事. 若固不泄, 可保身安.

一. 坐舒兩脚, 用兩手扳[145]脚心, 行功運氣九口. 名曰: '呂祖散運息氣' 專主止夜夢遺精.

一. 收精法. 當精欲走之時, 以左手指右鼻孔, 右手於尾閭穴截住精

142 [校勘] 除 : 저본에는 '徐'로 되어 있는데, 《양생도인법》 20 〈비문(鼻門)〉에 근거하여 바로잡았다.

143 [校勘] 切 : 저본에는 '功'으로 되어 있는데, 《양생도인법》 22 〈유설문(遺泄門)〉에 근거하여 바로잡았다.

144 [校勘] 戒除 : 저본에는 '戎徐'로 되어 있는데, 《양생도인법》 22 〈유설문〉에 근거하여 바로잡았다.

145 [校勘] 扳 : 저본에는 '板'으로 되어 있는데, 《수진비요(修眞秘要)》에 근거하여 바로잡았다.

道.[146] 運氣六口, 而精自回. 名曰: '降牛捉月'

一. 呂祖養精法. 以身端坐, 用手擦左脚心, 運氣二十四口. 右脚亦然.

一. 治夢泄精法. 仰卧, 右手枕頭, 左手用功. 左腿直舒, 右腿眷, 存想, 運氣二十四口. 名曰: '陳摶睡功'

治淋方

一. 偃卧, 令兩足布[147]膝頭, 邪踵置尻[148]. 口納氣, 振腹, 鼻出氣. 去淋、數小便.

一. 蹲踞, 高一尺許, 以兩手, 從外屈膝內入至足趺上. 急手握足五指, 極力一通, 令內曲[149], 以[150]利腰髖. 治淋.

一. 偃卧, 令兩足膝頭, 邪踵置尻, 口內氣, 振[151]腹, 鼻出氣. 去石淋、莖中痛.

一. 偃卧, 令兩足布膝頭, 取踵置尻下, 以口納氣, 腹張自極, 以鼻出氣七息. 徐氣癃、數小便、莖中痛、陰以下濕、小腹痛、膝不隨.

治二便不通方

一. 正坐, 以兩手交背後. 名曰帶便. 愈不能大便, 利腹, 愈虛羸. 反久

---

146 [校勘] 道 : 저본에는 '明'으로 되어 있는데, 《수진비요》에 근거하여 바로잡았다.
147 [校勘] 布: 저본에는 '抱'로 되어 있는데, 《양생도인법》 23 〈임문(淋門)〉에 근거하여 바로잡았다.
148 [校勘] 尻: 저본에는 '鴻'으로 되어 있는데, 《양생도인법》 23 〈임문〉에 근거하여 바로잡았다.
149 [校勘] 內曲: 저본에는 '曲內'로 되어 있는데, 《양생도인법》 23 〈임문〉에 근거하여 '內曲'으로 바로잡았다.
150 [校勘] 以: 저본에는 '入'으로 되어 있는데, 《양생도인법》 23 〈임문〉에 근거하여 바로잡았다.
151 [校勘] 振: 저본에는 없는데, 《양생도인법》 23 〈임문〉에 근거하여 보충하였다

兩手着背上, 推上使當心許, 踑坐反到九通. 愈不能大小便、利腹, 愈虛羸.

一. 龜行氣. 伏衣被中, 覆口鼻頭面. 正卧, 不息九通, 微鼻出氣. 治大便閉塞不通.

一. 偃卧, 直兩手, 捻左右脇. 除[152]大便難、腹痛、腹中寒. 口納氣, 鼻出氣, 溫氣咽之數十, 病愈.

治疝方

一. 挽兩足指, 五息止, 引腹中氣. 去疝瘕, 利孔竅.

一. 坐, 舒兩脚[153], 以兩手捉大拇指, 使足上頭下, 極挽. 五息止, 引腹中氣, 遍行身體. 去疝瘕病, 利諸孔竅. 往來易行, 久行精爽, 聰明脩長.

治痔方

一. 惟高枕, 偃仰, 心平氣定, 其腫[154]自收.

一. 一足踏地, 一足屈膝, 兩手抱犢鼻下, 急挽向身極勢, 左右換易四七. 去痔、五勞、三里氣[155]不下[156].

152 [校勘] 除: 저본에는 '徐'로 되어 있는데, 《양생도인법》 24 〈이변불통문(二便不通門)〉에 근거하여 바로잡았다.

153 [校勘] 脚: 저본에는 '足'으로 되어 있는데, 《양생도인법》 24 〈산기문(疝氣門)〉에 근거하여 바로잡았다.

154 [校勘] 腫: 저본에는 '瞳'으로 되어 있는데, 《양생도인법》 25 〈제치문(諸痔門)〉에 근거하여 바로잡았다.

155 [校勘] 氣: 저본에는 없는데, 《양생도인법》 25 〈제치문〉에 근거하여 보충하였다.

156 [校勘] 下: 저본에는 '可'로 되어 있는데, 《양생도인법》 25 〈제치문〉에 근거하여 바로잡았다.

一. 踞坐, 合兩膝, 張兩足, 不息兩通. 治五痔.

一. 兩手抱足, 頭不動. 足向口受氣, 衆節氣散, 來去三七. 欲得捉左右側身, 各急挽, 腰不動. 去四肢腰上下髓内冷、血冷、筋急、悶痔.

一. 兩足相踏, 向蔭端急蹙. 將兩手捧膝頭, 兩向極勢, 捧之二七竟. 身側兩向取勢二七, 前後努腰七. 去心勞, 痔病.

治黃腫方

一. 以兩手按膝施功, 存想. 閉息, 周流運氣四十九口. 名曰: '仙人撫琴'. 治久病黃腫.

治頭暈方

一. 兩手抱頭, 端坐行功, 運氣一十七口.

一. 閉氣, 用兩手按耳後, 彈天鼓三十六指, 叩齒三十六通. 治頭暈咬牙.

治癖方

一. 以身端坐, 用兩手摩兩脇幷患處. 行功運氣三十二口. 專治久癖.

一. 以身端坐, 左拳主左[157]脇, 右手按右膝. 專心存想, 運氣於病處, 左六口, 右六口. 名曰: '呂祖破氣法'. 專治久癖.

---

157 [校勘] 左 : 저본에는 '兩'으로 되어 있는데, 《수진비요》에 근거하여 바로잡았다.

治遍身疼痛方

一. 以身坐直, 舒兩脚, 兩手握拳. 連身向前, 運氣一十二口, 名曰: '龍板爪'.

一. 立住, 左脚向前, 握兩拳, 運氣一十二口, 右脚亦然. 名曰: '霸王散法'. 治遍身拘疎疼痛、時氣傷寒.

一. 高坐, 腿舒, 立, 行搭弓[158]勢, 運氣一十二口. 名曰: '百氣冲頂'. 治遍身疼痛.

治痢方

一. 立而張兩手臂, 用托布勢行功, 向左運氣九口. 名曰: '虎施威'. 治赤白痢.

治背膊痛方

一. 以身高坐, 左腿彎, 右腿舒, 左手拳, 右手[159]摩腹, 行功運氣一十二口. 名曰: '仙人攬轆轤'. 治背膊疼痛.

一. 立住, 左手舒, 右手捏腑肚, 運氣二十二口. 右手[160]亦然. 名曰: '呂祖行氣訣'. 治背膊疼痛.

---

158 [校勘] 弓 : 저본에는 '方'으로 되어 있는데, 《수진비요》에 근거하여 바로잡았다.

159 [校勘] 右手 : 저본에는 '右手右手'로 되어 있는데, 《수진비요》에 근거하여 바로잡았다.

160 [校勘] 右手 : 저본에는 '左右'로 되어 있는데, 《수진비요》에 근거하여 바로잡았다.

治色勞方

一. 側卧, 頭枕右手, 左拳在腹, 上下往來擦摩. 右腿在下微卷, 左腿壓右腿在下. 存想調息, 習睡收氣三十二口[161]在腹, 如此運氣一十二口. 久而行之, 可治色勞. 名曰: '陳搏睡功'.

治疲症方

一. 用兩拳主兩脇, 與心齊. 用力, 存想, 行功運氣左二十四口, 右亦如之. 名曰: '呂祖破氣法'.

治傷寒方

一. 側臥屈膝, 以手擦熱, 抱陰及囊, 運氣二十四口. 名曰: '陳搏睡功'. 治四時傷寒.

治食滯方

一. 仰面直卧, 兩手在胸[162], 幷肚腹上. 往來行功, 翻[163]江攪海, 運氣六口. 名曰: '陳搏睡功'. 治五穀不消.

---

161 [校勘] 口 : 저본에는 '氣'로 되어 있는데, 《수진비요》에 근거하여 바로잡았다.
162 [校勘] 胸 : 저본에는 '左胸'으로 되어 있는데, 《수진비요》에 근거하여 바로잡았다.
163 [校勘] 翻 : 저본에는 '相'으로 되어 있는데, 《수진비요》에 근거하여 바로잡았다.

治[164]任脈方

一. 以身端坐, 兩手拿胸傍二穴. 如此九次, 運氣九口. 此脉通, 百病消除.

治一切雜病方

一. 以身端坐, 兩手按膝, 左右扭[165]身, 運氣十四口. 治一切雜病.

固齒方

赤豆屑, 最能固齒. 有一老人, 年過七十, 能咀骨鯁, 問何術致此, 曰: "无他法, 屑赤豆刷齒, 用水漱之, 如此十餘年, 終身无齒疾, 曾得之過去乞僧."云耳.

黑細頭

黑細豆, 有治痰補腎益脾之功, 誠聖藥也. 然炒熟則失其性, 呑下則又患功遲, 惟嚼食爲可也. 用滷漬之令極醎, 曝乾淨收, 隨意嚼食, 緊閉上下唇, 勿令外氣入, 則不覺其醒矣.

---

164 [校勘] 治 : 저본에는 '通'으로 되어 있는데, 《수진비요》에 근거하여 바로잡았다.
165 [校勘] 扭 : 저본에는 '杻'로 되어 있는데, 《수진비요》에 근거하여 바로잡았다.

長生酒

周密《癸辛雜志》, “永[166]穆稜晩年苦足弱, 諭賈師憲曰: ‘聞卿有長生酒甚好, 朕可飮否?’ 賈退進之, 竝進其方, 不過用川烏, 牛膝等數味.” 今考《居家必用》作長春, 且載其方, 凡用三十二種. 獨無川烏牛膝, 豈傳聞之各異耶? 抑《居家必用》所載者, 卽後人增益者, 而假托於賈耶?

166 [校勘] 永 : 저본에는 없으나, 문맥을 살펴 보충하였다.

역자소개

진재교

성균관대 한문교육과를 졸업하고 동 대학원 한문학과에서 박사학위를 취득했다. 한국고전번역원에서 한학을 연구했으며, 전근대 동아시아학과 조선조 후기 한문학 관련 논저 100여 편이 있다. 조선조 후기 전(傳)과 기사(記事)를 가려 뽑은《알아주지 않는 삶: 모음집》과 야담의 서사에서 가려 뽑은《사랑이야기》,《재물이야기》등을 편역하였고, 《정조어찰첩》,《18세기 견문지식의 축적과 지식의 탄생-지수염필》,《18세기 일본 지식인 조선을 엿보다-평우록》,《북학 또 하나의 보고서, 설수외사》등을 공역하였다. 경북대 한문학과 교수를 거쳐 성균관대학교 한문교육과 교수로 근무하며, 성균관대학교 사범대학장과 동아시아학술원 원장을 역임하였다. 현재 한국고전번역학회와 한국한문학회 회장으로 있다.

노경희

성균관대학교 한문교육과를 졸업하고, 동 대학원에서 한문고전번역학을 전공하였다. 현재 조선대학교에서 강의하고 있다. 주요 논문으로「沈大允의『論語』해석의 일 단면-利와 忠恕를 중심으로-」(한문고전연구 제29집, 2014),「沈大允의『論語注說』譯註」(박사학위논문, 2014)가 있고, 주요 번역서로『주석학개론』(공역, 2014),『유교의 이단자들』(공역, 2015),『사고전서 이해의 첫걸음:사고제요서강소(四庫提要敍講疏)』(공역, 2016),『국역 교궁집록기Ⅱ』(공역, 2018) 등이 있다.

박재영

서울대학교 인류학과를 졸업하고, 민족문화추진회(현 한국고전번역원) 부설 국역연수원 상임연구원 과정과 성균관대 대학원 한문고전번역협동과정을 수료하였다. 현재 한국고전번역원 책임연구원으로 재직 중이다. 주요 논문으로「고전적 정리의 측면에서 본『한국문집총간』편찬의 의의와 향후 과제」(민족문화 제42집, 2013)가 있고, 번역서로『청성잡기』(공역, 2006),『설수외사』(공역, 2011),『교감학개론』(공역, 2013),『사고전서 이해의 첫걸음:사고제요서강소(四庫提要敍講疏)』(공역, 2016) 등이 있다.

김준섭

국민대학교 국어국문과를 졸업하고, 성균관대학교 대학원 한문고전번역협동과정을 수료하였다. 현재 한국고전번역원에 재직 중이다.

박지은

성균관대학교 한문교육과를 졸업하고, 동 대학원에서 한문고전번역협동과정을 수료하였다. 현재 한국고전번역원에 재직 중이다. 번역서로『교점역해 정원고사』(공역, 2017)가 있다.

이정욱

성균관대학교 한문교육과를 졸업하고, 동 대학원 한문고전번역협동과정을 수료하였으며, 민족문화추진회(현 한국고전번역원) 부설 국역연수원 연수부와 일반연구부를 졸업하였다. 현재 한국고전번역원에 재직 중이다. 번역서로『교감학개론』(공역, 2013),『주석학개론』(공역, 2014),『사고전서 이해의 첫걸음:사고제요서강소(四庫提要敍講疏)』(공역, 2016),『북여요선』(2018) 등이 있다.

전형윤

충남대학교 한문학과를 졸업하고, 성균관대학교 대학원 한문고전번역협동과정을 수료하였다. 현재 전주대학교 고전학연구소에서 한문번역 연구원으로 재직 중이다. 주요 번역서로는『국역 병산집』,『국역 한포재집』,『국역 서하집』,『국역 성재유고』등이 있다.

지금완

성균관대학교 한문교육과를 졸업하고, 동 대학원에서 한문고전번역학을 전공해 박사학위를 취득하였다. 민족문화추진회(현 한국고전번역원) 부설 국역연수원 연수부와 일반연구부 및 국사편찬위원회 초서고급과정을 수료하였다. 한국고전번역원 연구원으로 재직하였으며 서일대 등에서 강의 하였다. 주요 논문으로「久菴 韓百謙의 方領深衣說 硏究」(한문고전연구 제29집, 2014),「한백겸의『구암유고』譯註」(박사학위논문, 2015)가 있고, 주요 번역서로『서화잡지』(공역, 2016)『국역 구암유고』(2016)등이 있다.

풍석문화재단은

풍석 서유구 선생의 뜻을 기리기 위해 설립된 공익재단이다.
현재 문화체육관광부의 "풍석학술진흥연구사업"을 통해
《임원경제지》 및 기타 풍석저술과 《임원경제지》 전통음식복원 및
현대화사업의 결과물들을 출판하고 있다.